EDIÇÕES VIVA LIVROS

Deus investe em você
&
Dê uma chance a Deus

José Hermógenes de Andrade Filho nasceu em 1921. É escritor, professor e pioneiro no Brasil na divulgação da hatha yoga. Possui doutorado em Yogaterapia pelo World Development Parliament da Índia e é Doutor Honoris Causa pela Open University for Complementary Medicine. Hermógenes recebeu a Medalha de Integração Nacional de Ciências da Saúde e o Diploma d'Onore no IX Congresso Internacional de Parapsicologia, Psicotrônica e Psiquiatria (Milão, 1977). Em 1988 foi eleito Cidadão da Paz do Rio de Janeiro e, em 2000, recebeu a Medalha Tiradentes. A premiação foi conferida pela Assembleia Legislativa do Estado do Rio de Janeiro em nome do bem-estar e dos benefícios à saúde que a obra do Professor Hermógenes oferece aos brasileiros. Fundador da Academia Hermógenes de Yoga, o autor tem seus livros publicados também em Portugal e na Argentina.

Site oficial do autor: www.profhermogenes.com.br

HERMÓGENES

Deus investe em você
&
Dê uma chance a Deus

viva livros

RIO DE JANEIRO – 2011

CIP-BRASIL. CATALOGAÇAO-NA-FONTE
SINDICATO NACIONAL DOS EDITORES DE LIVROS, RJ

Hermógenes, 1921-
H475d   Deus investe em você e Dê uma chance a Deus / Hermógenes. – Rio de Janeiro: Viva Livros, 2011.
12 × 18 cm

ISBN 978-85-8103-005-0

1. Meditações. I. Título. II. Dê uma chance a Deus.

11-6462

CDD: 291.43
CDU: 291.4

Deus investe em você & Dê uma chance a Deus, de autoria de José Hermógenes.
Título número 006 da Coleção Viva Livros.
Primeira edição impressa em novembro de 2011.
Texto revisado conforme o Acordo Ortográfico da Língua Portuguesa.

Copyright © 2011 by José Hermógenes de Andrade Filho.

www.vivalivros.com.br

Design de capa: Julio Moreira sobre imagem intitulada "Stream in the Forest" (iStockphoto).

Todos os direitos reservados. Proibida a reprodução, no todo ou em parte, sem autorização prévia por escrito da editora, sejam quais forem os meios empregados.

Direitos exclusivos de publicação em língua portuguesa para o Brasil em formato bolso adquiridos pela Editora Best Seller Ltda. Rua Argentina 171 – 20921-380 – Rio de Janeiro, RJ – Tel.: 2585-2000

Impresso no Brasil

ISBN 978-85-8103-005-0

Deus investe em você

Introdução

Este livro é mais uma tentativa de estimular o pensamento, a reflexão e o esforço que possam viabilizar a libertação daquilo que, dentro de cada pessoa, cintila como faísca do Supremo Sol, mas que, envolto nos densos véus opacos de todas as manifestações do egoísmo, é como se não existisse.

Mas existe *mesmo*, pois é a própria Vida.

Aprendi e tenho certeza: dentro de cada ser humano, o altar de Deus está iluminado pelo Amor, e é um reino de pureza e luz, de liberdade e poder, de paz e perfeição.

Sei – e você também sabe – que todo esse tesouro está como que enterrado. É como se não existisse.

O que vemos em cada um, e na sociedade como um todo, é uma espantosa pandemia de dor, uma onda incontida de destruição, uma avalanche de perversão, uma aflitiva onipresença do conflito e do desespero.

Não só o planeta azul e sua atônita humanidade, mas também cada alma e cada corpo se retorcem neurótica e pateticamente num implodir-explodir desesperado.

Hora da crise final.

Fim do ciclo.

Fim das ilusões.

Fim-calamidade de uma trágica alienação coletiva.

Como aceitar que, sendo o ser humano a obra máxima da Natureza, a desfigure violentamente, devastando e poluindo desde o ar que respira aos alimentos que come, desde a beleza e a bondade até seus próprios pensamentos e sentimentos?

Como, sendo o homem a imagem e semelhança de Deus, se comporta tão diabolicamente? Como vive sofrendo tão miseravelmente, enquanto que, enganado, supõe desfrutar?

Como, estando perdendo, acredita estar lucrando?

Como, sendo infinitamente perfectível, se deteriora e se destrói?

Como, tão perto de Deus, chafurda na lama?

Como, dispondo de um instrumento tão precioso – sua mente –, a perturba, conspurca e perverte?

Como, programado para a libertação, se submete imprudente e tragicamente a mil tiranos, desde o cigarro, o álcool, a maconha, aos slogans, à propaganda, às seitas novas, aos "falsos profetas", à massificação?

Como, sendo o templo do Deus Vivo, não conhece repouso, segurança, paz e felicidade?

Como, tão rico, se debate e se abate na indigência?

Avatares, profetas, mestres divinos, desde recuados milênios, têm vivido entre nós, a evangelizar, a ensinar, a propor conscientização, reforma, regeneração, salvação, iluminação, libertação.

Muitos deles padeceram o martírio.

E os homens?

Como são estupidamente teimosos, surdos e cegos, obstinados em continuar no escuro e na dor, na morte e na servidão, a rechaçar os divinos convites para a Luz, a Felicidade, a Vida e a Liberdade!

Desejo aqui relembrar, repetir os clamores dos sábios e santos, usando uma linguagem mais acessível ao homem de hoje, numa tentativa de reconvocação para a Verdadeira Vida, da qual somos todos herdeiros.

Proponho uma tomada de consciência, uma opção lúcida por um viver menos doloroso e ao mesmo tempo mais calmo e criativo, mais rico de contentamentos verdadeiros...

Convido para um viver conducente à mudança definitiva que infalivelmente (se for possível, urgentemente) cada um terá de realizar.

Mudar por vontade própria é melhor do que ser obrigado a mudar sob o acicate da tragédia.

Você não percebeu que seus tormentos vêm se aprofundando e alongando, enquanto suas forças e suas esperanças minguam?

Não vem notando que o que cresce é o medo, a angústia, a revolta e a possibilidade de uma hecatombe?

Você – se não é uma exceção – terá tido desalentadoras frustrações com os ilusórios remédios mundanos para seu *desgosto* de viver. Ou não?

Se você não é uma exceção, sofre. E, como sofredor, aceite meus parabéns.

Parabéns ao que sofre???!!!

O paradoxo é apenas aparente.

Se, com inteligência e sem fuga, você já chegou à evidência da inconsistência e da irrealidade mesma de todos os remédios, recursos, meios, valores e soluções que o mundo oferece e, consequentemente, se encontra no estado libertador de desilusão, então eu insisto – "meus parabéns". Assim, já se livrou de engodos, encantos, mentiras, fascínios, que ainda entretêm, retêm ou desviam os medíocres e medrosos, os fracos e apegados.

Se, *infelizmente*, você ainda não chegou a decepcionar-se com haveres, poderes, prazeres, distrações, curtições, carnavais, intoxicações que o mundo pode dar, ainda por algum tempo poderá sustentar sua ilusão de ser feliz...

Mas quanto tempo isso vai durar?

Não mudemos de assunto: responda para si mesmo – por quantos anos? Ou serão minutos?

Não me chame de agourento. Estou somente sendo seu amigo, a alertá-lo dizendo-lhe, com absoluta sinceridade:

"Sua fortaleza tem paredes de papel." Tudo que o mundo dá, depois toma.

Se por lhe faltar coragem, austeridade e lucidez preferir fechar as portas da razão e continuar seu festival de ilusões, continue.

O problema é seu. E que problema!...

Continue, mas não se esqueça da história daquele porquinho que fez sua casa de palha, só para que lhe sobrasse tempo para a farra que tanto o agradava. Por fim veio o lobo e...

Conceda um pouco mais de tempo à minha insistência. Vou transcrever-lhe palavras de Jesus:

> Todo aquele, pois, que ouve estas palavras, eu o comparo a um homem prudente, que edificou sua casa sobre a rocha; e caiu a chuva, vieram as torrentes, sopraram os ventos e bateram com força contra aquela casa, e ela não caiu, pois estava edificada sobre a pedra. Mas todo aquele que ouve estas minhas palavras e não as pratica será comparado a um homem tolo, que edificou sua casa sobre a areia; e caiu a chuva, vieram as torrentes, sopraram os ventos e bateram com força contra aquela casa, e ela caiu; e foi grande sua ruína (Mt 7:24 a 27).

Que alicerce tem sua casa? Pense e responda a si mesmo.

Se você me interpelar, perguntando "Está querendo me inquietar?", minha resposta será um veemente sim. Quero inquietar você, que insiste em continuar a dormir dentro da cratera de um vulcão. É a melhor forma de expressar minha compaixão por você. Quero inquietar alguém que anda por aí, se deixando manipular, alienado, modorrento, sem saber que Deus investe nele. Quero lembrar que vem aí, a qualquer hora, o acerto de contas. Quero, no entanto, também dizer que é possível ser feliz e livre, autêntico e forte.

Este livro é inquietante para iludidos e fujões.

Ele se destina aos que já estão começando a desejar se libertar de excitações, fraquezas, condicionamentos, intoxicações, devaneios, futilidades, dependências, baixezas, padecimentos, exaustões, angústias e já anseiam pela Sanidade, pela Santidade, pela Dignidade, Alegria e Felicidade, as quais, quando vindas do Cristo, não minguam com o tempo, independem de circunstâncias, transcendem a compreensão humana e são invulneráveis a lobos e borrascas.

Este livro não serve aos que se sentem "felizes" e "vitoriosos" só porque faturam lucros fartos e fáceis das atuais condições de uma civilização frustrada e decadente.

Este livro é inaceitável para aqueles que, neste ocaso melancólico e aflito da humanidade, estão "crescendo" e enriquecendo exatamente porque exploram e manobram, corrompem e esmagam as desgraçadas massas amorfas (os robôs humanos) que intoxicam as almas imaturas de adolescentes manipuláveis. Não é livro para os desalmados donos do poder, que o exercem execravelmente contra o bem comum.

Este livro se destina aos que decidiram melhorar o mundo e ajudar a humanidade, e para isso já assumiram os sacrifícios e desejam, sem qualquer vacilação, iniciar a reforma social a partir da melhora de si mesmos.

Gostaria que ele chegasse a ser aceito pelos que, ainda alienados, se deixam robotizar pelos manipuladores. Que atraísse a atenção dos que ainda, infelizmente, são súditos fiéis da propaganda, subservientes à massificação estupidificante, tecnológica e cruelmente exercida contra a liberdade e a dignidade deles mesmos.

Aqui ofereço um conjunto de sugestões, provocações, desafios para um despertar, para uma *re-visão* de valores. Sugiro mudanças. Convoco para um recomeço, uma *re-ordenação*.

As mensagens são curtas e incisivas. Todas se destinam a propor uma verticalização, que só é viável a partir de conscientização sincera.

Que possamos, você e eu, administrar bem o investimento que Deus faz em nós.

Que a Luz e a Paz se façam para você, libertando-o.

Namastê,
Hermógenes

Deus investe em você

Sabemos que investimento é a aplicação de recursos visando a uma renda. Só se investe quando se confia que se obterá um lucro.

Escolhe-se um investimento examinando-se três condições:

rentabilidade;
segurança;
liquidez.

Não há exagero em dizer que "Deus investe em você".

Todos somos investimentos de Deus, porque Ele nos gera e nos mantém com Seus recursos, Sua energia, Seus poderes infinitos. Como todo investidor inteligente, Deus espera lealdade e rentabilidade. Quanto à liquidez, é a morte que determina a data do resgate.

Não há novidade no que digo. Foi meu guru – Jesus – que, numa parábola, mostrou que somos investimentos de Deus:

'...é como um homem que ia se ausentar do país, e chamou seus servos e lhes entregou seus bens, a um, cinco talentos, a outro, dois, e a outro, um, a cada qual segundo sua capacidade, e partiu. Imediatamente, o que recebera cinco talentos operou com eles e lucrou mais cinco. Igualmente o de dois lucrou outros dois. Mas o que recebera um foi, cavou a terra e escondeu o dinheiro de seu senhor. Depois de muito tempo, vem o senhor daqueles servos e ajusta contas. E vindo o que recebera cinco talentos, trouxe outros cinco, dizendo: Senhor, entregaste-me cinco talentos; olha outros cinco que lucrei. Disse-lhe seu senhor: Muito bem, servo bom e fiel: foste fiel no pouco, confiar-te-ei o muito; entra na alegria de teu senhor. Chegando também o de dois talentos, disse: Senhor, entregaste-me dois talentos; olha outros dois talentos que lucrei. Falou-lhe o senhor: Muito bem, servo bom e fiel; foste fiel no pouco, confiar-te-ei o muito; entra na alegria de teu senhor. Vindo também o que recebera um talento, disse: Senhor, conheço-te que és homem duro, colhendo onde não semeaste e recolhendo onde não distribuíste, e amedrontado escondi teu talento na terra; olha, aqui tens o teu. Respondendo, então, disse-lhe o senhor: Servo infeliz e tímido, sabias que colho onde não semeei e recolho onde não distribuí? Devias, então, ter confiado meu dinheiro aos banqueiros e, vindo eu, teria recuperado o meu com juros. Tomai-lhe, portanto, o talento e dai-o ao que tem dez talentos, pois a todo o que tem será dado e sobrará; mas de quem não tem ser-lhe-á tomado até o que tem. E o servo inútil lançai-o nas trevas exteriores; aí haverá choro e ranger de dentes" (Mt 25:14 a 30).

É ou não uma história de investidor?

Confiou os talentos (moeda da época) aos servos; exigiu *rentabilidade*, e a *liquidez* foi por ele imposta, ao regressar sem ter marcado prazo.

Quando se diz que alguém é um artista (cientista, educador, administrador, sacerdote...) de *talento*, quer-se significar que Deus lhe confiou muitos dons, capacidades e potencialidades. Ao contrário, quando se fala que alguém tem pouco talento, quer-se expressar que é carente de dons, capacidades e potencialidades.

Cada um de nós é um servo a quem o Senhor (Deus, a Vida Una) confiou, por algum tempo (que só Ele sabe), uma soma pequena ou grande de dons, capacidades, virtudes, poderes, energias. Dia virá em que Ele examinará a contabilidade. A uns (os bons administradores), a bênção de um investimento ainda maior. A outros (os maus administradores), a condenação – "choro e ranger de dentes". Ao gerenciador eficiente, "a alegria do Senhor". Ao mau, "as trevas exteriores".

Que são talentos?

O corpo, esse instrumento primoroso, é talento. São talentos essenciais: o alento que move os pulmões, o sangue que circula e nutre, a capacidade de ver, ouvir, tocar, cheirar, degustar, os pés que o levam, as mãos que trabalham, a boca que fala, o sistema emunctorial que limpa o corpo de seus dejetos.

São talentos: o pensar, o imaginar, o atentar, o concentrar-se, o avaliar, o lembrar-se, o julgar, o conhecer.

São talentos todos os recursos para viver, conviver, decidir, ascender e evoluir. Os talentos são tantos que é impossível enumerar todos.

Quanto o Senhor investiu em você?

Você é dessas criaturas talentosas, criativas, inteligentes, fisicamente bem-dotadas, ricas de energia, com recursos econômicos fartos, bom status social, bem-equipadas, bem-nutridas, nascidas em família sadia e amorosa? Compare-se com a maioria.

Se em confronto com a pobreza e a mediocridade você se vê lá em cima, é porque recebeu os "cinco talentos". Deus o tomou como seu mordomo, seu gerente, "conforme sua capacidade".

Se você se sente pobre, mas não tanto, isto é, remediado, é que o Senhor só investiu dois talentos em você.

Se, em última hipótese, suas condições físicas, psicológicas, sociais e econômicas são desafiadoras e precárias, é que lhe foi confiado apenas um talentinho.

Seja qual for o caso, o investimento foi feito.

O que importa não é a quantidade de talentos investidos. O que decide é o resultado final, isto é, a rentabilidade proporcional.

O mordomo de uma só moeda foi castigado porque não apresentou rendimento, porque acovardado pelo juízo errôneo que fazia do seu senhor (colheria onde não semeara e recolheria onde não teria distribuído) "enterrou os talentos".

Há muita gente que só sabe temer a Deus, de quem faz uma ideia equivocada (só espera a "ira de Deus"), e assim, acovardada, esconde os talentos (poucos ou muitos), o que, dessa forma, os torna improdutivos.

Pela lição da parábola, tendo pouco ou muito é essencial que administremos, *com a maior eficiência possível*, tudo quanto Deus nos confiou. E ficamos sabendo que, ignorantes sobre a magnanimidade de Deus, isto é, por medo, podemos ser levados a frustrar a confiança que Ele deposita em nós.

Imensamente pior do que não fazer render, por causa do medo, é, no entanto, *perder* os talentos ou perverter sua aplicação.

O mundo já padeceu, está padecendo e está ameaçado de padecer ainda mais por causa do emprego diabólico de grandes talentos. A História está cheia de sangue e horror porque indivíduos muito talentosos traíram a confiança do Senhor e criminosamente utilizaram (muitos continuam utilizando) seus dons na promoção da desgraça individual e coletiva. Homens prodigiosamente talentosos, ainda hoje, com a maior crueldade e frieza, promovem o sofrimento de populações inteiras.

Artistas, cientistas, estadistas, empresários, intelectuais, líderes de todas as áreas, ricamente dotados, verdadeiros gênios, ainda hoje, em seu proveito, em proveito de seus partidos ou de suas famílias, e em detrimento do Senhor, continuam a utilizar seus dons e dotes para perturbar, explorar, esmagar e destruir a paz, a liberdade e a saúde de milhões de seres humanos. Intelectuais, publicitários, dramaturgos, artistas, todos ricos de talentos, estão, infelizmente, não construindo, mas destruindo valores morais, princípios éticos e até mesmo a saúde mental de multidões que se deixam manipular e conduzir. É uma calamidade para ambos os lados: para os manipulados, que somem e se consomem na mediocridade, e para os manipuladores, que se comprometem, assumindo dívidas imensas com o verdadeiro Dono dos talentos. Para eles, "choro e ranger de dentes" ainda são amenidades. Tenho pena de todos.

Os bons administradores são os líderes que usam seus talentos para a promoção do Bem, da Justiça, da Paz, da Sanidade, da Fartura, da Harmonia, da Segurança, mas principalmente do processo evolutivo daqueles sobre os quais têm influência. A eles: "Muito bem, servos bons e fiéis, que entrem na alegria do senhor."

A parábola termina com uma sentença paradoxal, que parece a proclamação de uma tremenda injustiça: "...a todo que tem será dado e sobrará, mas de quem não tem ser-lhe-á tomado até o (pouco) que tem."

Isso de enriquecer ainda mais os ricos e empobrecer ainda mais os pobres não é nada divino. A injustiça social está aí mesmo, fazendo exatamente assim. Como o Senhor de Justiça e de Misericórdia faria o mesmo que os perversos donos do poder no mundo?

Na parábola, aquele "que tem" (dez talentos) é porque administrou com eficiência os cinco talentos que lhe foram antes confiados. Aquele que "não tem" não tem porque, acovardado, frustrou a confiança e as esperanças do Investidor.

Não é justo que aquele "que tem" receba ainda maior soma de talentos?

Não é justo que o mau administrador, que perdeu a confiança do Investidor, seja destituído? Destituído só não, punido?

Quando uma dessas financeiras, que administram poupanças populares, dá um prejuízo fraudulento aos investidores, não merece a punição da justiça?

O fato de um administrador bom receber ainda mais e um mau administrador sofrer punição é um cumprimento da divina "Lei do carma", isto é, a "Lei de causa e efeito", associada à "Lei da transmigração".

Em cada existência nascemos com os talentos de que, em nossa administração anterior, nos fizemos credores.

Há os que nascem com crédito.

Há os que nascem com débito.

Você compreendeu que seus talentos atuais lhe foram confiados pelo Divino Investidor para fazê-los render?

Tudo que você é e *tem* é investimento.

Cuidado com o que vai fazer deles. Evite frustrar a expectativa do Senhor enterrando os talentos improdutivamente. Muito mais importante, evite trair o Senhor empregando na calamidade o que foi entregue para promover o bem.

Aqui ofereço algumas sugestões que pretendem a ajudá-lo a corresponder à esperança Daquele que investe em você.

Depois de ler e refletir, sua responsabilidade se acentua ainda mais. Mas é melhor estar alertado e ser prudente. Não é?

A prece do bom administrador

Senhor,
fazei de mim um instrumento de Vossa PAZ.
Onde houver ódio, que eu leve o AMOR.
Onde houver ofensa, que eu leve o PERDÃO.
Onde houver discórdia, que eu leve a UNIÃO.
Onde houver dúvida, que eu leve a FÉ.
Onde houver erro, que eu leve a VERDADE.
Onde houver desespero, que eu leve a ESPERANÇA.
Onde houver tristeza, que eu leve a ALEGRIA.
Onde houver trevas, que eu leve a LUZ.
Ó Mestre,
fazei que eu procure mais
Consolar
que ser consolado.
Compreender
que ser compreendido.
Amar
que ser amado.
Porque é dando
que se recebe.
É perdoando
que se é perdoado.
E é morrendo
que se vive para a VIDA ETERNA.
AMÉM.

Atribuída a São Francisco de Assis

O *rendimento* que o Grande Investidor espera de nossa administração dos talentos está aqui sintetizado de modo perfeito.

Ele quer que aumentemos no mundo e em cada pessoa a PAZ, O AMOR, O PERDÃO, a UNIÃO, a FÉ, a VERDADE, a ESPERANÇA, a ALEGRIA e a LUZ.

Será isto o que estamos realizando ao pensarmos, ao falarmos, ao curtirmos, ao agirmos? Estamos ampliando e promovendo esses valores através de nossa atuação no mundo e em nós mesmos?

É muito difícil que a resposta (só vale se for sincera!) seja *sim*.

Promover PAZ, AMOR, PERDÃO, UNIÃO, FÉ, VERDADE, ESPERANÇA, ALEGRIA e LUZ é tarefa imensamente difícil. Quer saber por quê?

Porque há um obstáculo gigantesco a se opor. O nome dele é egoísmo.

Cada um se sente como um eu individual, a pretender sempre subir, ganhar, acumular, vencer, dominar, firmar-se, afirmar-se, expandir-se e até imortalizar-se. Desejos, apegos, aversões e fobias mobilizam todos os talentos em favor do *eu*.

Se o *eu* é tão reivindicante, que lugar, tempo e talento sobrarão para beneficiar os outros? Ou para servir a Deus?

Esta hipertrofia calamitosa do *eu*, a meu ver, é uma doença gravíssima que, por sua vez, é a causa de todas as injustiças e crimes, de toda falta de PAZ, AMOR, PERDÃO, UNIÃO, VERDADE, FÉ, ESPERANÇA, ALEGRIA e LUZ, que mantém o mundo em sofrimento permanente. Esta enfermidade não aparece (ainda) nos tratados de patologia dos médicos. Nagarika Govinda a denomina *egosclerose*.

O único tratamento válido para a *egosclerose* é ensinado por Cristo, e para ele tenho proposto o nome de *humildação*, que consiste em reduzir a importância que nos damos, isto é, que cada um de nós dá a seu *eu pessoal*.

Esta humildação não é somente um remédio eficaz. É o único que existe.

Desculpem-me as escolas atuais de psicologia, psicoterapia, educação, quando afirmo que o formar, fortalecer, aprimorar e expandir a *personalidade* (o *eu pessoal*), que têm sido objetivos de tais ciências, reclamam uma revisão, um reestudo.

Até agora os tratamentos psicoterápicos e a pedagogia, que visam à afirmação e à consolidação do eu, têm predominado, têm se exercido. Mas, apesar disso, a humanidade tem melhorado? E não será exatamente por isto – a hipertrofia do ego?!

Indivíduos que foram formados e informados para nutrir, defender, exaltar, firmar e afirmar suas personalidades, que fizeram da humanidade? Que estão fazendo do planeta? Pessoas cujos egos foram formados pelos psicopedagogos e tratados pelos psicólogos estão aí, lutando, impondo e se impondo, crescendo, "progredindo". Ou, ao contrário, neuróticos amedrontados, submissos, mas sempre em defesa do eu, que aprenderam a amar. Que tal essa sociedade, palco de conflitos, dasamor, impiedade, desunião, descrença, hipocrisia, tristeza e treva? Que tal essa civilização formada por pessoas *educadas*?!... Que tem feito ao mundo a egolatria?!

Toda primeira parte da prece de São Francisco é um pedido, não em favor do *eu*, mas, ao contrário, em favor de uma minimização do *eu*, para chegar a se tornar (gloriosamente) um humilde "instrumento" de Deus.

O egoísta pede amor. O "bom administrador" acha importante amar. O egoísta pede consolo. O "bom administrador" consola. O egoísta mendiga ser compreendido. O "servo bom e fiel" é compreensivo e misericordioso. O egoísta pede, pois quer receber sempre. O santo constantemente dá e se dá sem reclamar sequer reciprocidade.

Terapeutas, médicos, educadores, psicólogos, pedagogos não podem naturalmente considerar sensato o paradoxo contundente do santo:

"É morrendo que se vive para a VIDA ETERNA."

Os grandes mestres da humanidade são unânimes em ensinar que a VIDA ETERNA, ou O REINO DE DEUS, ou O NIRVANA, ou a ILUMINAÇÃO, ou a REDENÇÃO, isto é, a META SUPREMA de nossas vidas, não têm lugar, enquanto o eu pessoal continuar se impondo. Só o vazio deixado pelo *eu* permite a Deus reinar. Enquanto o *eu* sobreviver, Deus não acontece. O verdadeiro sentido da evolução espiritual é o que Uberto Rhoden chamou *egocídio*, ou morte do *ego*.

Eu prefiro chamar *humildação*, isto é, minimização progressiva do *ego*, simultaneamente com a expansão de Deus.

Rigorosamente, à luz da ciência oficial e convencional do mundo, um São Francisco, a querer morrer como *ego*, é um caso para tratamento psiquiátrico.

Rigorosamente, à LUZ da CIÊNCIA DIVINA e ETERNA, o homem egoísta que nós somos é um mísero padecente, um frágil, um primitivo, um pobre ignorante que ainda não se conhece como potencialmente divino, como um Espírito Imortal e Livre.

Aquele que se tornou "instrumento", sem ego, sem reivindicar amor, consolo e doação, para o mundo dos egoístas, é um estranho, para não dizer *anormal*.

O homem *normal* aí está, a revolver-se nos opostos da existência, a neurotizar-se entre excessos de gozo fácil nas supostas vitórias e a cair em depressão, nas pequenas quedas que a vida impõe.

Qual a sua posição?

Você está mais para a "anormalidade" de São Francisco ou para a "normalidade" da dor, depressão, apego, ira, ansiedade, fobia, ambição, falência, carência, instabilidade e insegurança dos homens medíocres, ainda vivendo somente para si e para os "seus"?

Chegou a hora da opção.

Faça-a você.

Castigos e prêmios

É próprio do ser humano considerado social e psicologicamente são agir em proveito próprio, no interesse do "eu" e dos "meus". Há sempre neles uma indagação engatilhada: "Quanto é que *eu* levo nisso?"

Motivação é o termo técnico com o qual os psicólogos nomeiam "um conjunto de fatores, intrínsecos e extrínsecos (instintos, necessidades, impulsos, apetências, homeostase, libido e outras variáveis intervenientes) que determina a atividade persistente e dirigida para uma finalidade ou recompensa. Entre o fator variável e a finalidade (ou recompensa) situa-se o comportamento que a ela conduz...".*

O comportamento humano é sempre motivado, e a Ciência tem se empenhado em pesquisar sobre a *motivação*, procurando saber a natureza desta fantástica força motriz que leva o homem a agir ou evitar agir. Foi a partir da tese do determinismo evolucionário de Darwin que o estudo começou. Da doutrina darwiniana partiram W. James e S. Freud para concluírem que é o *instinto* a força maior. Em McDougall já se encontra a explicação em termos de *propósitos*... Outras propostas de teoria para a motivação foram aparecendo: o impulso, o prazer, o ajustamento à realidade social... foram sendo apontados como os *motivos* predominantes.

---

*Cabral, Alvaro e Eva Nick. *Dicionário técnico de psicologia*. São Paulo: Cultrix.

Embora respeitáveis, nenhuma das teses conhecidas poderá, no entanto, explicar comportamentos como os de Sócrates, São Francisco de Assis, São Vicente de Paulo, Madre Teresa de Calcutá, Joaquim José da Silva Xavier, Irmã Dulce, Aurino Costa, Mahatma Gandhi, Albert Schweitzer, Bahá' U'Llah e outros apóstolos da Verdade e do Amor. Como os cientistas materialistas explicariam, com suas teses sobre motivação, a conduta dos mártires cristãos na arena dos romanos? Como poderão entender como Aquele que é Onipotente se deixou torturar nas masmorras dos romanos, nos escárnios dos fariseus, na morte infamante no Gólgota? Que faz um ser evoluído se deixar imolar? Instinto?! Alguma necessidade biológica?! Impulso?! Alguma apetência?! Manutenção da estabilidade no meio interno orgânico (homeostase)?! Libido?! Inclinações "propositárias"?! Conveniências sociais?!

Será que os materialistas (e alguns racionalistas) ainda não tentaram encontrar, em suas "teses científicas", uma resposta a tais questionamentos? Ou pesquisaram, mas, concluindo que seriam forçados a contradizer suas famosas doutrinas, optaram por uma fuga ao desafio, no velho estilo "deixa isso pra lá!"?

A ortodoxia científica não terá como contestar uma evidência que a experiência impõe e nos permite dizer: na alma há *motivos* sublimes, muito acima dos *motivos* próprios da horizontalidade dos homens "normais". Foram tais motivos que levaram sábios e santos a se conduzirem de modo tão discrepante e até mesmo contrário àquilo que os cientistas entendem como sendo a normalidade humana.

O instinto de conservação é *normalmente* humano, na medida em que só se vê no homem um animal. Um santo ou um sábio, que se recusa a matar mesmo em "legítima defesa" e prefere mesmo morrer a matar é tido por estranho (*anormal?!*), mas clama veementemente aos teóricos: "Há valores e *motivos* bem mais altos que o instinto de conservação."

O instinto de reprodução ou o princípio do prazer (Freud) é um forte e mesmo dominante motivo humano. No entanto, quando um jovem *Brahmacharya*, isto é, um estudioso da Realidade Divina, embora eroticamente válido, com sublimação e compreensão e, portanto, sem repressão, se mantém abstêmio de sexo, pode dizer, com autoridade, a Freud: "Eu sou movido por *valores e motivos* que estão muito além do *princípio do prazer*."

O equívoco dos pesquisadores materialistas parece ter sido que seus estudos, predominantemente, foram feitos sobre pessoas *primitivas* ou (e) *perturbadas* ou (e) *enfermas*, e a partir de suas observações e experimentações (metodologicamente, até certo ponto, corretas), violentando um princípio epistemológico, estenderam suas conclusões ao ser humano em geral, ignorando os santos. É verdade – e eles efetivamente descobriram – que indivíduos perturbados e enfermos, ou, até certo ponto, indivíduos medíocres, agem por instinto, são impelidos por impulsos, se entregam ao império de suas necessidades, obedecem a apetências, curtem ou padecem a libido, ou, numa hipótese melhor, buscando "ajustar-se" à "realidade social de seu tempo", se submetem ao processo massificante ou mesmificante do grupo no qual se *enturmam*.

Aos psicólogos Jung, Frankl, Fromm e outros, lúcidos e não comprometidos com o dogma materialista, nossa homenagem. A eles não cabem as observações acima propostas. Eles não se ativeram às aparências, não reduziram o campo de suas pesquisas à mediocridade e à patologia humanas, mas mergulharam em realidades sublimes da alma, que nem a todos é dado vislumbrar. Suas sábias teses servem de base a suas eficientes terapias, que estão aí, ajudando os seres humanos a superar as tristes fronteiras obsedantes da doença e da horizontalidade.

Nos meios científicos ocidentais, os estudos sobre a motivação humana são recentes, isto é, do século XX. Na Índia, há milênios, os sábios postularam que os seres humanos são almas

(*Jivas*) empenhadas no processo da evolução. Não da evolução conforme conceituada por Darwin, que a descreveu como mudanças que se processam na *forma* anatomofisiológica, mas nas mudanças que se passam na consciência. O evolucionismo na consciência, que é destino e desafio a todas as almas, é que determina o evolucionismo na forma. À medida que a consciência se amplia, precisa de formas mais aprimoradas, que lhe permitam os movimentos para uma expansão maior, para expressar e gozar um grau maior de liberdade.

Dentro do que poderíamos chamar "reino humano", algumas há que estão à frente, no rumo do Objetivo Maior. Outras, atrasadas, com uma consciência ainda cativa nas formas grosseiras, têm muito ainda que avançar.

Quem não vê diferenças profundas entre um sábio e um homem rude, entre um santo e um corrupto, um terrorista, um traficante de drogas?

Conforme a amplitude de sua consciência, isto é, conforme seu nível evolutivo, um homem pode ser motivado pelo amor e atraído para a Paz, para a Beleza, para a Verdade, para a Libertação; um outro, motivado pelo egoísmo, e seduzido pelo dinheiro, pelas altas posições sociais, pela curtição erótica...

Segundo os mestres hindus, em sua evolução as almas atravessam duas fases bem nítidas:

(1) Na primeira, enquanto primitiva e medíocre, as motivações predominantes na alma, parecidas com aquelas de que os cientistas se aproximaram de caracterizar, são três: *poder, gozo* e *status social*. Elas impelem o indivíduo a sobreviver, se expandir, se impor, se gratificar a qualquer custo, mesmo em detrimento do mundo e de Deus. É a fase em que a alma é presa de uma "doença", que me acostumei a chamar "egosclerose", pois, com o ego pessoal hipertrofiado, todos os talentos são empenhados na sua promoção, no seu fortale-

cimento e no seu império. Assim se expressa um indivíduo "egosclerosado": "*Eu* quero, *eu* posso e vou tomar tudo para mim. *Eu* quero, *eu* posso e vou gozar prazeres ainda maiores e mais intensos. *Eu* estou numa religião (partido, doutrina, nação, escola de samba, time de futebol...) que é o máximo e que é a(o) única(o) que merece prevalecer. *Eu* quero, *eu* posso e vou explorar e dominar todos... *Eu* sou o mais inteligente, mais bonito, mais forte, mais brilhante, mais merecedor... *Eu* ganho na corrida, na força, na esperteza... *Eu* mereço e vou crescer cada vez mais..." São tais pessoas que atraem a si grandes dores e geram os sofrimentos maiores da família humana. Nesta primeira fase, quando a alma se autoafirma, fase da conquista e crescimentos ilusórios e neuróticos, os motivos, segundo a lição dos sábios, são, em resumo:

a. *Carma* – desejo de prazer sensual, material, mundano;
b. *Artha* – o desejo de poder, sob todas suas formas (econômica, política, paranormal ou mental);
c. *Dharma* – o desejo de se manter e se sentir segura, mediante aceitar o dever (social e religioso) conforme proposto por homens do mundo para homens do mundo.

(2) Em sua segunda fase, a alma, já amadurecida pela experiência e curtida pela dor, já plenamente convencida sobre a impermanência do prazer, do poder, das boas posições sociais, inspirada pela Sabedoria, tendo já escutado a sábia "voz que clama no deserto", tendo já o vislumbre de sua unidade real com todos, com tudo, comungando com a Luz, consegue ver seu egoísmo (o sentir-se distante e diferente do Todo) como o obstáculo que a mantém exilada da Suprema Felicidade. Nesta fase, a alma começa a com-doer-se do sofrimento mundano!, começa a com-padecer-se da dor do próximo e vê que o ego-separatista, movido por suas motivações inferiores, é a causa

do drama universal. Agora, só uma força a motiva: a *libertação*. Esta dependerá de autonegação ou abnegação, que a levará a sacrificar a Deus e sacrificar-se pelos filhos de Deus.

A motivação da fase de renúncia é, segundo os sábios:

d. *Moksha* – libertação.

Libertação – de quê?!
Da ignorância, do sofrimento, da morte e da "obrigatoriedade de renascer".

Em sua primeira fase, a alma é um indefeso joguete atirado à voragem dos opostos existenciais. O prazer o fascina e ele é levado ao gozo quimérico. Cessado o gozo – e sempre cessa! –, sente-se infeliz. Servidão e dor, orgasmos e lágrimas, pequenas conquistas e perdas dramáticas... Enquanto egocentrados, isto é, alienados de Deus-Uno-Sem-Segundo, a alma é frágil e vacilante, iludida e padecente. Em seu cativeiro, a alma é levada a nascer, a morrer, a re-nascer, a re-morrer...

É renunciando e sacrificando que a alma pode retomar à sua origem e identificar-se com o Uno-Bem-Aventurado-Ser, libertando-se definitivamente. O único meio de uma alma alcançar *Moksha* (a libertação) é a abnegação ou humildação ou minimização do ego pessoal.

Quando um ser humano se deixa imolar, e morre com um hino nos lábios, doçura na mente e paz no coração é que, evoluindo na segunda fase, já não lhe importa a existência, pois já saboreia a Divina Essência.

Tudo isso continua um absurdo aos olhos dos egoístas. Continua estranho aos pesquisadores "cientistas".

Ora, se estou aqui alertando você (e por que não a mim também?!) sobre as responsabilidades que nos pesam como gerentes dos dons que Deus em nós investiu, não é pretendendo apelar para o *medo* ao "pranto e ranger de dentes", *castigo* inevitável ao administrador negligente ou doloso. O *medo* não é uma motivação desejável, digna.

Também não desejo fazer apelo ao *prêmio* concedido ao "servo bom e fiel", que consiste em receber mais talentos e maior confiança do Senhor. É, sem dúvida, uma nobre motivação.

Preferível, no entanto, a evitar castigo e ganhar prêmio é a motivação da segunda fase – a libertação.

Conduzir-se como "servo bom e fiel" é condição a entrar na iniciação, isto é, na segunda fase da evolução. A motivação predominante, numa alma evoluindo na segunda fase, é fazer render os bens confiados e corresponder, portanto, à confiança do Investidor. É assim que *castigos* não a amedrontam. Nem *prêmios* a seduzem. E o resultado disto é *Moksha*, a libertação. É o ego pessoal que, para se *salvar*, foge dos *castigos* e ambiciona *prêmios*. Se uma onda do mar for verdadeiramente sábia, só terá por motivação seu retorno ao mar, seu identificar-se com o mar, seu libertador sumir no mar.

Mas... que há um castigo certo para o "servo mau e infiel", isso há mesmo. Senão o Mestre não teria mencionado as "trevas exteriores". Se assim não fosse, onde a Justiça?!

"Tudo o que o homem semear, isso também colherá", disse São Paulo, expressando o que os hindus chamam "Lei do carma".

Conforme nosso carma (ação, comportamento, conduta) de agora, tal virá a ser nosso destino. Hoje, nosso destino é aquele que andamos *programando* mediante nosso agir no passado. Nossa conduta é um rígido decreto, que nos condena a penar ou nos permite curtir – tal é a lei.

A Lei do carma é tão válida e inexorável, tão precisa e certa como qualquer das leis da biologia, física ou química. É tão lei quanto a da gravidade, por exemplo.

É habitual e fácil driblar as leis humanas. Há muitos truques que são manipulados pelos "espertos" deste mundo. Mas não se iludam com eles. As penas cármicas os alcançarão e os farão pagar "até o último ceitil". As consequências do carma – agradáveis ou desagradáveis, isto é, prêmios e castigos – seguirão nossos atos tal qual, como disse o Buda, as rodas do carro perseguem as patas do boi que o puxa. Segundo a Lei do carma, ninguém sofre sem culpa e ninguém goza sem mérito. A sanção é rigorosamente justa e inevitável.

Embora consiga distrair-se com suas gratificações sensuais e com a ilusão de que é poderoso e importante na escala social (colunável, aplaudível, magistrável, reitorável, prefeitável...), o homem-ego realmente não sabe o que seja Felicidade. Apenas distrai-se gozando, e se supõe feliz. Acredita ser proprietário, e assim se sente forte. Bem situado no *society*, se julga importante. No entanto, quando sobrevém um desastre, quando só e desiludido sobre suas agradáveis quimeras, cai em depressão, se vê desamparado (derrubável, adoecível, fenecível, arruinável, miserável...). Em meu modo de ver, é isso que se pode chamar "trevas exteriores", em contraste com a "luz interior".

O homem só conseguirá saber o que seja "luz interior" onde, em vez de "choro e ranger de dentes", se desfruta a Paz, "no gozo do Senhor", mediante dedicação, abnegação, autodoação, renúncia, "humildação" e boa gerência dos talentos.

E o Senhor tem ainda uma recomendação que nos convém cumprir: "Assim também vós, todas as vezes que tiverdes cumprido todas as ordens, dizei: somos servos inúteis, [pois] fizemos apenas o que devíamos fazer." (Lc 17:10)

Manual do
bom administrador*

> Ao nasceres, todos sorriam,
> só tu choravas.
> Vive de tal forma que
> ao morreres todos chorem,
> só tu sorrias.
>
> *Provérbio Chinês*

---

*Não é necessária a leitura seguida. Pode-se abrir ao acaso qualquer página para ler e refletir. O indispensável é refletir.

Graça divina

Se vemos uma freirinha idosa, de saúde frágil, franzina, quase etérea, como a Irmã Dulce, de Salvador, tendemos a dizer que está no fim, se acabando, é quase inválida... Nada disso. Igual à figura mitológica de Atlas, ela carrega em seus ombros o peso do mundo, isto é, a miséria de milhares de sofredores.

Se conversamos um pouco com Aurino Costa, um caquinho de gente, sem pernas, amarrado em sua cadeira de rodas, pele e osso, quase surdo, podemos dizer: "Este pobrezinho deve ter recebido uma moratória, mas já pertence ao outro lado." No entanto, Aurino criou e dirige com amor e admirável eficiência uma organização de amparo aos deficientes mentais...

Ela, católica; ele, espírita. Ambos não querem saber a que religião pertence o necessitado. Só querem ajudar.

Parece que Deus investiu muito pouco neles; ainda assim, são mais fortes do que um narcisista do corpo, que despende horas egoisticamente, com seus alteres.

Qual o segredo da Irmã Dulce e de Aurino?

Deus não investiu neles uma pequena parte de Seus dons e os mandou ao nascimento e pronto!...

Eles descobriram como conseguir que Deus continuasse permanentemente investindo neles, dando-lhes mais dons e talentos. Eles sabem como manter uma ligação permanente com a Fonte da Vida. A Graça é o que os sustenta todo o tempo.

Que Tua Graça não me falte, Senhor.

Graça divina

Quase todos vivem somente do dote inicial que Deus lhes deu, conforme seus méritos e deméritos, resultantes das vidas (investimentos) anteriores. Alguns cuidam de evitar desperdícios e desvios. Outros de nada cuidam, a não ser do preenchimento de seus desejos egoístcos.

Há ainda aqueles que descobriram como conseguir re-investimentos constantes, tirando-os da Graça Divina.

Que fazer para conseguir isso? Não é uma pergunta a fazer?

Se você fosse investidor, não re-aplicaria em investimentos lucrativos?!

A Graça de Deus está sempre sendo recebida pelos administradores fiéis e bons, que produzem lucros, isto é, que a utilizam na assistência, na caridade, no amor, na promoção da Verdade, da Paz e da Justiça.

Senhor, fazei-me instrumento de Vossa Paz.

Administração do tempo

O tempo é um dos mais importantes talentos.

A eficiência ou rentabilidade de todos os demais depende do emprego judicioso do tempo. Se o desperdiçamos ou o pervertemos, estamos agindo contra as esperanças do Senhor.

Quem chega a perder, digamos, a saúde, parte do patrimônio material, prestígio, status, poder, credibilidade..., se diligente e inteligentemente se empenhar, poderá vir a recuperar tudo e ainda, às vezes, ganhar mais.

Podemos dizer que tudo pode ser recuperado, mas o tempo não.

O tempo a nós concedido para viver, isto é, a determinação da liquidez do investimento, só o podemos *manter* ou *reduzir*. Nunca *expandir*. Não podemos prolongar nossa existência, mas quase todos nós, maus administradores, a encurtamos com os erros que cometemos.

Na data do resgate – não sabemos qual seja – é bom que tenhamos a certeza de que fomos judiciosos no emprego do tempo a nós concedido.

Que em tempo algum eu desperdice
o tempo que Deus me deu.

Administração do tempo

Satya Sai Baba, que milhões adoram como avatar ou encarnação divina, ensina a maneira mais sábia e eficaz no emprego de nosso tempo.

Sugere que dividamos as 24 horas do dia de forma que dediquemos: seis a nós mesmos; seis para servir ao próximo; seis a Deus (oração, meditação, louvor, culto, adoração, estudos das escrituras...) e seis ao repouso.

Não devem ser períodos rigorosamente separados, estanques.

Ele fala da quantidade de tempo a dedicar a cada um dos itens essenciais à sábia e eficiente gerência de nossas vidas.

Em dado instante, enquanto trabalhamos para nós, devemos nos conceder momentos de repouso e lazer. Noutro período, ao servirmos ao próximo, com a caridade, também cultuamos Deus. Ao orarmos, isto é, enquanto nos devotamos a Deus, agimos em proveito nosso.

Adotando tal divisão, excluímos de nossa vida a ociosidade e o tempo perverso, e, com isto, nos fazemos merecedores de escutar: "Entra na alegria do Teu Senhor."

Que em Teu proveito eu possa ser judicioso e jamais ocioso na administração de meu tempo.

Administração do tempo

Tempo dedicado a nós mesmos, tempo dedicado ao próximo, tempo dedicado a Deus, tempo dedicado ao repouso – eis os quatro itens essenciais à boa administração de nossas vidas.

Os ignorantes, egoístas e materialistas empenham quase todo o tempo no preenchimento de seus desejos de *posse* e *prazer*. Até o repouso é visto como algo que atrapalha, que impõe suspensões inoportunas ao trabalhar e ao gozar. Tempo para Deus... absolutamente nenhum. Tempo para o próximo? Que é isso?! O próximo é aquele que estiver ao alcance da mão para ser explorado como um meio de se ganhar mais e mais intensamente curtir.

Que desequilíbrio!

Infelizmente é o que mais se encontra.

Você não é desses... Ou é?!

Senhor, com Teu infinito Poder, muda tais pessoas, salvando-as das "trevas exteriores".

Administração do tempo

Empenhar um quarto do tempo em repouso é uma necessidade, uma determinação biológica. Os homens, por mais animalizados que sejam, são como que obrigados a repousar.

Agir em proveito próprio é natural a todos, e muito mais aos seres humanos pouco evoluídos.

Dedicar tempo à promoção do bem comum e a serviço dos carentes chega a ser estranho às pessoas medíocres, que ainda desconhecem o divino sentimento de compaixão, e estão cegas para verem que, em essência, somos um com todos os nossos semelhantes.

Devotar tempo ao culto, à busca, à adoração, ao louvor a Deus, para a maioria de homens e mulheres vulgares, só acontece quando em sofrimento, em risco, em crise, em pânico, ou quando já idosos...

Você não é assim... Ou é?!

Tenho muita pena dos egoístas, dos medíocres, dos ignorantes. Ajuda-os, Senhor.

Vida espiritual

Nos primeiros passos na senda espiritual, o aspirante, já convencido da impossibilidade de ser feliz mediante o agir somente para si (e às vezes em detrimento do descanso, e sem pensar em Deus e no próximo), deseja libertar-se e, para tanto, se decide a administrar seu tempo e suas energias.

Passa a orar, a meditar... como que se dedicando a Deus. Mas, lá no fundo da alma, o que pretende é convencer a Deus de lhe dar mais poder, mais alegrias, mais preenchimento, mais satisfação...

Passa a desenvolver atividade caridosa ostensiva... Mas, lá no fundo da alma, pensa assim: "Com isso estou agradando a Deus, portanto Ele vai me dar isso e aquilo..."

Como é bom fazer uma autoanálise em nossas motivações!

Senhor, ajuda-me a desmascarar os truques
com que meu eu se defende e me retém.

Vida espiritual

O homem verdadeiramente evoluído, isto é, o homem espiritual, embora reserve um quarto de seu tempo para si, outro para o próximo, outro para o descanso e outro para Deus, na verdade vive somente para Deus.

Quando trabalha profissionalmente e ganha, quando se nutre, quando pratica ginástica, quando elimina os *escreta*, quando pratica sexo, quando se banha, finalmente, quando age, aparentemente para si, ele o faz em espírito de sacramento, isto é, como um "sacrifício" a Deus. Quando repousa e quando se diverte, igualmente oferece a Deus o repouso e a curtição. Quando ajuda, quando serve, quando ampara, ajuda, serve e ampara o próprio Deus, que se manifesta no próximo, que recebe Seus benefícios, e o faz na convicção de que é apenas um instrumento de Deus em ação.

Orar, meditar, louvar, cultuar Deus estão implícitos – e com que eficácia! – em todo seu agir, falar, pensar, desejar...

Mas, diariamente, reserva sagrados momentos para o recolhimento, quando, "tendo fechado a porta", ora em secreto ao Pai, e o Pai dialoga em secreto com ele.

Que minha vida seja um bem-aventurado
sacramento ininterrupto.

Liberdade

O mais anulado dos prisioneiros nem sempre é aquele que foi trancafiado numa cadeia ou se encontra acorrentado.

Mahatma Gandhi esteve preso muitas vezes. Os primeiros cristãos também estiveram nas masmorras do Império Romano... Só fisicamente; no entanto, estavam sem liberdade.

Então, a liberdade espiritual não conta?!

Os sábios e os santos, que já venceram o grande tirano, que é o egoísmo, se libertaram de desejos, medos, ansiedades, aflições, ciúmes, apegos, ressentimentos, ambições, baixezas, mediocridades, ignorância, remorsos...

Por falar nisso, como vai sua liberdade verdadeira – a espiritual?!

Liberta-nos, Senhor.

Liberdade

O ser humano livre não é, como quase todos pensam, aquele que faz o que quer.

O homem livre é aquele que tem o poder de deixar de fazer aquilo que quer não fazer.

Vamos explicar.

Um desses muitos iludidos pensa assim:

"Ora, é proibido fazer tais e tais coisas... Pois bem, sou um sujeito livre, portanto vou fazê-las custe o que custar, doa a quem doer; ninguém me segura..."

Esse mesmo indivíduo, embora sabendo que está se desgraçando e degradando, enfermando ou se destruindo com determinado vício ou hábito, *deseja e mesmo precisa largá-lo, mas não consegue...*

Dá para entender que devemos nos manter livres a ponto de não sermos obrigados, e subservientes, a hábitos ou dependentes de atos que temermos ou detestamos praticar?

Que eu me escravize a Teu Reino, e assim me liberte.

Mudança

Você também acha que tudo está ruim, que o mundo já não tem mais jeito?

Será que não tem jeito mesmo?

Então, é o desespero total?!!!

Não admitamos uma coisa tão ruim.

O mundo tem jeito, sim.

Até agora as coisas têm se deteriorado porque cada um que pensa que a situação deve mudar trata de esperar que alguém mude alguma coisa. A mudança, a melhora... que os outros a realizem!

Você é assim?

Não viu ainda que, se você não mudar, nada vai mudar? Não vê que a melhora deve ser iniciativa sua?

Você é desses que só sabem reclamar contra o governo, contra tudo e contra todos? Só vê nos outros erros e pecados, e nada em você?

Você ainda está aí de braços cruzados, reclamando?! Continua esperando iniciativa somente dos demais?!

Que a paz e a concórdia comecem por mim.

Mudança

A situação, de fato, é alarmante. No mundo todo.
Diante de tudo isso, você pensa em fazer o quê?
O mundo pode melhorar, mas só se você e eu, cada um de nós, começar a fazer algo em proveito da paz, da verdade, da justiça, do bem de todos, enfim.
E isso só se consegue com a redução de nosso egoísmo; quando chegarmos a essa coisa difícil que é *pensar*, *falar* e *dizer* primeiro o bem do outro, sem que nos preocupemos em ganhar algo com isso.
Se fizermos o bem ao próximo, Deus tomará conta de nós.
E o que significa isso senão felicidade verdadeira?

Usa-me, Senhor, em Tua misericordiosa
operação de resgate.

Verdade

Você não acha que a sociedade humana é um mar de mentira, de falsidade, de hipocrisia, cada um a enganar, a explorar, a burlar os outros?

Não acha que o império da verdade, da lealdade, da sinceridade é o que pode salvar esse barco tão ameaçado?

Por falar nisso, você diz a verdade?

Você vive segundo a verdade? É leal aos amigos, à família, aos chefes, aos empregados, aos sócios, aos companheiros?

Se você quiser mesmo as verdadeiras respostas a tais perguntas, comece por não iludir, não enganar a si mesmo.

Tenho fé em Ti, Senhor, por isso só desejo a Verdade.

Verdade

Por que mentimos?
A resposta imediata é: para ludibriar os outros.
Para quê?
Para tirar alguma vantagem, para lucrar em alguma coisa ou em uma situação; finalmente, para explorar as pessoas.

Ora, mas também mente-se muito – e como! – para se escapar a algum castigo; isto é, às consequências dolorosas de erros praticados.

Mentimos porque confiamos na mentira como um instrumento, como um meio de expandir e firmar nosso egoísmo, isto é, para agradar ou proteger nosso ego.

Eis aí uma das razões por que eu digo que o nome de Satanás é Ego.

Só os farsantes não mereceram Teu perdão.
Entendo por quê, Mestre.

Perdão

"Não descanso enquanto não me vingar!" – palavras cruéis que muita gente profere, e o pior, procura cumprir.

Como é terrível e monstruosa a ignorância!

O rancor, o ressentimento, alimentados dentro de nós, podem fazer mal ao outro (mas nem sempre).

O que é absolutamente certo é que faz mal ao que odeia e quer ir à forra.

Qualquer veneno dentro do corpo é agente de destruição.

Pois bem, ódio é veneno, e muita gente o guarda dentro de si.

Livra-me de odiar, de detestar, de querer mal.
Ensina-me o perdão e o bem querer.

Perdão

Se até hoje você está guardando rancor contra alguém, pare com isso.

Jogue o veneno fora, que só lhe tem feito mal.

Por pior que seja o mal que ele ou ela lhe fez, para seu próprio bem, esqueça. Mas esqueça inteiramente.

Não se intoxique.

Deixe tudo por conta da Grande Lei, que não falha, mesmo que algumas vezes tarde.

Quem lhe fez mal, principalmente se você não lhe quer mal, receberá o sofrimento que lhe corresponde.

Não duvide. É por isso que Jesus ensinou: "Orai pelos que vos perseguem."

Que eu perdoe totalmente.

Agir corretamente

Desejar mal a quem quer que seja é uma das formas mais eficazes de atrair, para nós, o mal, pois a "lei do retorno" não falha.

Desejar o bem aos outros é uma das formas mais certas e eficientes de viver bem, pois a "lei do retorno" nos devolve o bem que desejamos que aconteça aos demais.

Só há uma forma de você saber se isso funciona mesmo – experimentando, pondo em prática.

De hoje em diante, capriche em querer bem a todos.

Que todas as criaturas sejam bem-aventuradas
e tenham paz.

Agir corretamente

Daqui por diante, você pode criar para si mesmo uma vida plena de felicidade e paz, saúde e alegria.
Como?
É simples:
Deseje o bem.
Faça o bem.
Fale o bem...
Isso em relação a todos.
Até mesmo aos inimigos?! – você pode perguntar.
Que Jesus responda:
"Orai por vossos inimigos."
"Fazei aos outros aquilo que quereis que vos façam."
Essa é uma lei indiscutivelmente infalível, seguramente científica.
Experimente.
Pratique.

Senhor, ele me perseguiu e me feriu por ser ignorante
e infeliz. Perdoa-o, Senhor.

Paz

O quanto antes é preciso que façamos algumas correções em nosso modo de viver e de desfrutar as coisas.

As multidões, manipuladas pela propaganda, estão consumindo agora umas formas de prazer que acarretam enormes tumultos não somente nos pensamentos e emoções, mas também no corpo físico.

Por exemplo, as chamadas músicas pop, tão do agrado das multidões manipuladas, são em verdade intoxicantes e perturbadoras. São propícias a desenvolver comportamentos mentais, emocionais e físicos que impedem a paz e a harmonia interiores.

Por que não preferir o deleite tranquilo de uma paisagem e da música sublime do vento que tange e faz dançar o arvoredo?

Que posso fazer, Senhor, para salvar meu próximo de sua medíocre horizontalidade?

Liberdade

Sei que posso estar correndo o risco de ser tachado de reacionário, retrógrado, sei lá de quê...
Mas por que não se dá chance de alguém falar assim?
Quase todos os outros falam exatamente do contrário, isto é, falam do que seduz o gosto fácil das pessoas imaturas.
Que eles me convidem para o ruído.
Deixem-me convidá-los para o silêncio.
Que promovam o erotismo neurótico.
Deixem-me falar de amor.
Que produzam a violência.
Consintam que eu os convide à não violência.
Que incentivem a ambição, mas não me impeçam de falar da poesia da renúncia.

Infeliz o dia em que não se levantem vozes
que clamam no deserto.

Vida e morte

Se você fosse somente esse seu corpo envelhecível, fenescente, adoecível e mortal, estaria bem que "aproveitasse" a vida e se esbaldasse em excessos neuróticos, embora gostosos, e esbanjasse suas energias e suas oportunidades existenciais, corrompesse seus talentos, como muitos fazem.

Mas, na verdade, esse seu corpo não passa de um equipamento (aliás primoroso!) que você, espírito, está utilizando.

Sendo você um espírito utilizando um corpo, seu comportamento deve ser outro, isto é, não pode ser apenas um permanente atendimento às necessidades e caprichos de seu equipamento.

Seu corpo morre, e com ele seus prazeres. Mas você, espírito, é imortal, e seus valores são muito mais elevados. Não acha?

O que possuo e o que gozo algum dia ficarão.
Irá comigo aquilo que eu sou.

Morte

Que pensaríamos de um sujeito que se preparando para ir a um bairro próximo tirasse passaporte, juntasse dólares, estudasse inglês ou outro idioma?...

Diríamos que se trata de um tolo, não é?

E o que acha de alguém que tendo de passar dois meses num país distante e se comportasse como se fosse apenas tomar um ônibus e ir visitar um compadre num subúrbio?

Não seria também um tolo?

Pois bem, se você não está se preparando convenientemente para a grande viagem que começa com a morte, esse tolo é você.

Que meus valores sejam imortais.

O inimigo

Quero ajudar você a identificar seus maiores inimigos, para que possa se acautelar e mesmo vencê-los.

Quem está prevenido vale por dois – é o que dizem.

Quando o inimigo age a partir do escuro e a vítima nada sabe dele, é muito mais perigoso e é muito difícil a defesa.

Não é sem razão que se diz que o mais terrível inimigo é aquele que se disfarça de amigo.

Dificilmente você vai acreditar que seu maior inimigo é aquele que você vê quando chega diante do espelho. Mas é. É *mesmo!*

O eu que tanto protegemos é a distância, o adversário que me frustra viver em Deus.

Egoísmo

Seu ego pessoal, isto é, sua tão estimada e defendida, desenvolvida e arrogante personalidade, é quem mais lhe cria problemas.

Raramente você encontra alguém que não esteja "brigando com Deus e o mundo" para defender sua personalidade, seu euzinho vaidoso e prepotente.

Egoísta é aquele que tem um ego, uma personalidade, "desse tamanho", que vive a esbofetear a vida, no desejo de se impor e crescer, dominar e possuir.

O egoísta trava uma luta permanente, danada, da qual só o sofrimento resulta para ele. E para os outros.

A maior calamidade é a inflação do ego.

Liberta-me, Senhor, de meu inimigo, meu eu.

Egoísmo

Muitas desgraças ocorrem por conta do orgulho, do desejo de provar que "ninguém é mais valente do que eu", ou que "tenho que tomar essas coisas para mim", ou que "quem vai mandar nisso aqui só pode ser eu", ou que "ninguém é mais corajoso do que eu, e vou fazer o que ninguém jamais ousou fazer", ou que "não descansarei enquanto não fizer aquele bandido engolir o desafio", ou... ou...

Há mil maneiras de o indivíduo ignorante e egoísta estupidamente se desgraçar, quando empenhado em inflacionar seu ego.

Expulso o "eu", a vida se torna uma festa de luz e paz.

Egoísmo

É nosso ego ofendido, ferido, ressentido que nos faz curtir dias, semanas, meses e anos, a vida inteira, neuroticamente padecendo, remoendo, carregando cargas tóxicas de pensamentos e desejos de vingança, que nos envenenam e nos tornam incapazes para viver em paz, alegres, sadios e felizes.

É nosso ego frustrado que nos acorrenta às costas imensas cargas de amarguras e ódio...

Não são bem as outras pessoas ou as circunstâncias que nos machucam e esmagam, mas nós mesmos, isto é, nosso ego ressentido.

Nosso maior inimigo é nosso ego.

Que Tua Luz vença as trevas que me
acorrentam ao "eu".

Hipocrisia

O indivíduo, contando com o falso poder da mentira, descaradamente ou rouba no peso ou assalta por qualquer outra forma, desde a mão armada até à corrupção administrativa ou política.

Todo criminoso tem este raciocínio: "Desde que ninguém venha a saber, porque vou ocultar e me ocultar como autor, posso fazer o que desejar, para melhorar minha conta no banco, minha família, para subir na vida..."

Você vê como a mentira corrompe alguns e explora outros?

Eis por que Jesus, que perdoou todas as formas de pecado, só não perdoou a um – a hipocrisia, isto é, a farsa, o embuste, a mentira.

Hipocrisia – eis o grande pecado.

Mentira

O mentiroso é aquela pessoa que acredita mais no poder de suas mentiras do que no poder de Deus.

Como está iludido!...

Há um tempo – que passa logo – em que ele obtém e goza os frutos da mentira.

Mas a verdade jamais será definitivamente suplantada pelo embuste.

Toda mentira é enganosa.

Toda mentira mente ao próprio mentiroso.

É por isso que a Lei de Deus não falha.

Enquanto o mentiroso mantém seu estado de ilusão, é frágil e facilmente apanhado pela natural e correspondente dor, que a Lei de Deus impõe.

Que eu nunca me afaste de Tua Verdade.

Verdade

Viver *em* Verdade, *com* a Verdade e *pela* Verdade inicialmente é difícil e gera problemas, pois o homem veraz é perseguido pela maioria que mente.

Mas viver a Verdade é viver em Deus, em Deus que é Verdade.

Foi se baseando nisso que um homem chamado Gandhi pagou o alto preço da Verdade, e sofreu por ela, mas alcançou a Graça Divina, e amorosamente serviu e ajudou milhões de seres humanos, e isto é que é ser realmente feliz.

Os medrosos fogem da Verdade.

Os bravos vivem e morrem por ela.

Morrer na Verdade é infinitamente preferível a viver enganosamente na mentira.

O caminho largo é feito de mentiras.
Prefiro o Teu caminho.

Verdade

Mentir para os outros é desastroso, mas só ao final de algum tempo; mas mentir para si mesmo começa a ser um grande mal imediatamente.

À medida que enganamos a nós mesmos, perdemos nosso maior tesouro, que é a paz da consciência.

Sem ela, torna-se inviável nosso encontro redentor com a única felicidade imortal – DEUS.

Quem se entretém na ilusão, iludindo a si mesmo, perde a gloriosa chance de encontrar a Verdade, de se tornar Verdade, isto é, DEUS.

Tua Verdade me nutre, me cura, me salva.

Mentira

Para que nenhum de nós continue a confiar no poder da mentira e do disfarce, um dia. Alguém que não mente, e que É a própria Verdade, disse, alertando-nos: "Não há coisa oculta que não se manifeste, nem escondida que não venha a ser sabida e vir à luz."

Foi assim que o Cristo se dirigiu a todos os farsantes, todos os corruptos, todos os cruéis embusteiros e exploradores da credulidade e da confiança dos outros.

Os frutos da mentira apodrecem e envenenam.

Amor

Não é só por falta de verdade e veracidade que o mundo está assim, tão infeliz e confuso.

A falta de amor é uma das causas essenciais de tanto sofrimento.

Quem não ama prejudica os demais, pois todos precisam ser amados; mas, antes mesmo de levar infelicidade aos outros, aquele que não ama a si mesmo faz sofrer.

Amando a gente serve, perdoa, ajuda, ampara; finalmente, dá felicidade aos outros.

Amando, e somente amando, gozamos a felicidade verdadeira, que é Deus.

Quem não sabe ainda que Deus é Amor?

Iludir é falta de amor. É violência.

Lei do carma

Ora, se é verdade que Deus nos recebe muito bem quando nos arrependemos e nos decidimos por reformar-nos, o que Ele fará com as dívidas que assumimos com a prática dos erros?

Não é possível que Ele não nos julgue e não nos condene a pagar, com o sofrimento, o mal que tenhamos feito – pensamos.

A verdade é que Deus não é juiz e muito menos carrasco.

O que nos faz responder, com sofrimento, pelos males que fizermos é uma lei, uma lei universal – a Lei do carma.

Não é Deus.

Deus é misericórdia.

A justiça fica por conta da lei.

Deus, misericordioso, não castiga. É a Lei que se exerce.

Caminho estreito

Há pessoas que têm me dito que minhas propostas são difíceis de aceitar e seguir.

Perdoar, doar, doar-se, compreender, voltar a ajudar um ingrato...

Sim. São propostas difíceis, mas sábias e eficazes.

O que é fácil de fazer é melhor aceito.

Mas resolve?

Soluções fáceis geralmente são falsas.

São medíocres, vulgares...

Minhas propostas fazem apelo ao seu lado divino, não ao seu lado humano.

São propostas dirigidas a melhorar sua vida, a libertar seu espírito.

A solução e a salvação nunca são alcançadas
a "preços módicos".

Ser feliz

Você tem procurado ser feliz. Não é?
Quer mesmo?
Pois bem. Vou lhe dizer como o conseguir:
Esqueça-se de sua própria felicidade e empregue seu tempo, seus talentos, seus esforços, suas energias em proveito da felicidade de seus irmãos de humanidade.
Faça isso e verá que as pessoas que aprenderam a se dedicar aos necessitados, além de não terem mais tempo para se preocuparem consigo mesmas, passaram a gozar uma condição que se pode dizer feliz.

Age, Senhor, através do instrumento que eu sou.

Felicidade

Enquanto você viver ultraconcentrado sobre si mesmo, buscando evitar sofrimento e, por outro lado, querendo desfrutar mais, e assim, sem tempo para amparar, ajudar e servir seus semelhantes, enquanto você viver egoisticamente, não terá sucesso, não saberá o que é viver em paz e feliz.

Ninguém consegue conquistar, por seus pequenos esforços e parcos recursos, sua própria felicidade indiferente ao sofrimento geral.

Só aqueles que pensam nos demais e os ajudam são felizes.

*Que a cada dia eu possa me tornar mais eficiente
na ajuda aos demais.*

Felicidade

Felicidade que a gente não compartilha não é felicidade.
É furto, pois é fruto de egoísmo.

Muitas vezes, tenho encontrado pessoas que juntaram muitas propriedades, muito poder social ou político e vivem mergulhadas em dissabor, neurose e angústia.

Quase sempre descubro que, por estupidez, conseguiram tudo que haviam buscado, mas usando meios impuros e desonestos, sempre levadas por um egoísmo doentio.

Só quando reduzimos nosso egoísmo encontramos o melhor de nossas vidas.

A felicidade de meu vizinho me faz feliz.

Emprego dos talentos

Se você é dono de uma cadeia de jornais, não se esqueça de que é *dono* apenas durante algum tempo; o investimento que Deus lhe confiou é de liquidez absolutamente imprevisível.

A qualquer hora, tudo que supõe possuir pode ser definitivamente perdido. Ninguém é eterno, portanto a posse, seja do que for, também não é.

Se você tem apenas uma vassoura para limpar as ruas, como empregado do serviço de limpeza urbana, não se esqueça de que o Investidor lhe confiou esse tão pequenino talento para que você o fizesse render.

Num e noutro caso, a verdade é que o Investidor vai cobrar a renda do investimento. E nisso o magnata que nada rendeu, que desperdiçou ou desviou o investimento terá muito a lamentar, enquanto que o humilde gari, se fez render o pouquinho que lhe foi confiado, "entrará na alegria do Senhor".

Ajuda-me, Senhor, a gerenciar bem o que me confiaste.

Energia

Um talento imensamente importante é a energia que Deus investiu em nós.

Todas as nossas funções fisiológicas e psicológicas não se fazem sem uma preciosa energia divina. Ela assume dois aspectos principais: *energia biológica*, que mantém a vida, e *energia criativa*, que nos possibilita criar pelo sexo, pela mente, pela emoção, pela palavra, pelo espírito.

Recebemos de Deus um dote de energia para que nos mantenhamos sadios, vivos e criativos. Quando morremos é porque a energia chegou ao fim. É como uma lamparina que se apaga porque consumiu o combustível todo.

Já dá para ver o quanto é importante aprender a economizar, utilizar, canalizar e, finalmente, administrar a energia que Deus investiu em nós.

A propósito, você tem até agora cometido erros nesse sentido? Ou, como bom administrador, tem sublimado sua energia e dignificado sua utilização?

Que eu nunca venha a desperdiçar ou rebaixar a divina energia que é a minha vida.

Caridade

É muito fácil ver caridade no que apenas parece ser; é muito difícil dizer, com justiça, se uma pessoa é caridosa.

A "caridade" espetacular, publicamente exibida, efetivamente pode ser proveitosa aos pobres, mas só a eles. Os que se mostram caridosos podem ser úteis aos necessitados, e isso é bom para eles. Mas, na medida que, exibindo caridade, homens e mulheres se credenciam à admiração pública ou procuram recompensas vindas da justiça de Deus, se iludem quanto aos frutos espirituais. É o egoísmo que leva as pessoas a posarem de caridosas.

Travestidas de caridosas e convencidas de que o são, elas permanecem presas da ilusão e sempre no culto do inimigo maior de cada um – exatamente o ego.

Só a caridade verdadeira é benéfica àquele que doa, e a condição de ser verdadeira é exatamente não se fazer cálculo dos benefícios a serem colhidos. Quem espera recompensas da "caridade" é o ego em nós.

"Quem dá aos pobres empresta a Deus" é uma infeliz expressão de uma triste barganha, na qual os pobres entram como mercadoria, e Deus como um "freguês".

Ensina-me, Senhor, a doar e a doar-me
sem nada esperar.

Mentira

Você e eu temos conhecido muitas pessoas que, de tanto e tão frequentemente usar a mentira para se proteger e lucrar, que, baseadas no falso poder do embuste, não vacilam em cometer atos amorais e lesivos aos outros, finalmente a perpetrar crimes hediondos. Para elas, a mentira garante impunidade, a mentira possibilita explorar e agredir.

É dessa forma que a mentira se faz a "porta larga" para todos os delitos, e consequentemente para a ruína total de muitas existências.

Quando assumimos conosco mesmos um compromisso de não recorrer à mentira como um meio de proteção e aquisição, ou seja, quando passamos a assumir a plena responsabilidade por nossas ações, dificilmente caímos em erro, dificilmente praticamos atos incorretos e injustos, dificilmente nos deixamos tentar, corromper, degradar, perder...

A mentira é corruptora. A verdade nos ergue e nos salva.

Seja teu falar sim, sim, não, não.

Empatia

"Amai ao próximo como a vós mesmos" – ensinou o Mestre Jesus, meu guru.

Acima de tudo, tenho encontrado entre os que se amam aqueles que, racionalizando, interpretam esse sublime e libertador mandamento como um incentivo ao "amor-próprio". Teria Jesus preceituado: "Quem não ama a si mesmo não pode amar ao próximo."

Ora, a experiência mostra que, *enquanto eu me amo*, não tenho condições para o desapego, para a renúncia, para o dar, o doar e o perdoar. O amor a nós mesmos nos torna egoístas, e onde impera o ego não há lugar para os outros, a não ser como objetos de posse e satisfação para o ego reivindicante.

Foi exatamente por reconhecer que o normal é que natural e espontânea, instintiva e inconscientemente nos amemos, que Jesus propôs que façamos o mesmo em relação ao próximo.

Assim como, por egoísmo, reivindicamos para nós o melhor, façamos exatamente o mesmo em relação aos outros. Amemos nosso vizinho tanto quanto nos amamos.

Que eu sempre promova, proteja, alegre, sirva,
torne feliz os outros, da mesma forma e na mesma
medida como tenho feito a mim mesmo.

Independência

"Independência ou morte!" foi um slogan virilmente proposto pelo príncipe D. Pedro, regente do Brasil, ao declarar a independência dos brasileiros, sacudindo, assim, a opressão exercida pelas cortes de Lisboa.

Esse lema continua válido hoje e sempre o será quando aplicado à sagrada campanha que obrigatoriamente todos temos de encetar contra todas as formas de dependência, sujeição e opressão que sobre nós se façam.

O lema contém um dilema: ou independência, ou a morte! Por quê?

Porque quem se submete a uma dependência está morto. Dependência é sinônimo de morte, como independência é sinônimo de vida. Nascemos e vivemos para nos libertar de todos os tiranos, de todas as pessoas, vícios, condicionamentos, fraquezas, todos os dogmas, preconceitos, fanatismos, ilusões, limitações, erros, imperfeições, obsessões, intoxicações... que nos submetem, reduzem, escravizam, diminuem, esmagam; temos de nos libertar de todas as sujeições, submissões, esmagamentos, deturpações, subserviências... É para isso que estamos aqui, existindo.

Há uma tirana cuja existência nutre todos os outros tiranos que nos esmagam. O nome dela é ignorância. Libertemo-nos da ignorância, e então viveremos.

"Só a Verdade vos libertará."

Solidão

Você ainda se sente só, dolorosamente só?!

Quer sair dessa?

Pois bem, há uma solução: garanto que aí em seu bairro há outros solitários que precisam de companhia.

Por que você não vai ao encontro deles, para os ajudar?

Só se sente solitário quem quer.

Ora, há tantos orfanatos, asilos de idosos, centros assistenciais!

Por que não vai até lá?

Ou você está sofrendo da maior das doenças, que é o egoísmo?!

É o egoísmo que faz a solidão crescer e doer.

Mendicância

Conheço muitos que vivem mendigando, não dinheiro, mas compreensão, elogio, afeto, aplauso, companhia, consideração...
A gente pensa que mendigo é somente aquele que dorme e sofre na rua, sem ter para onde ir.
Estes são mendigos da matéria.
Mas os mendigos psicológicos, como sofrem...
Sofrem até mais.
As pessoas são pobres não por não ter, mas porque pedem.
Quanto mais pedimos, mais nos empobrecemos.
Qual o remédio?
O remédio está em passar a doar.

É dando, doando e per-doando que me torno rico.

Benevolência

Você é uma pessoa que evolutivamente há muito ultrapassou o nível de comportamento que lhe permitiria empunhar um revólver e sair à rua a ameaçar transeuntes, arrancando-lhes os haveres, agredindo-os, humilhando-os.

Felizmente, você já está muito acima de tal horror.

Mas, sinceramente, já terá transcendido a faixa em que ainda está sujeito a, invigilantemente, no íntimo de seu ser, deixar-se levar por pensamentos, projetos e desejos de que algo ruim aconteça a alguém que o proteriu, prejudicou, agrediu?...

Analise-se bem, a fim de que, embora não exercendo a violência em suas expressões objetivas, não se entregue à violência subjetiva.

Ambas as formas são expressões de um mesmo mal – a violência.

Que eu seja sempre benevolente e misericordioso.

Bondade existe

Como está ficando difícil e traumatizante viver nessa hora em que não se fala bem dos outros, não se pensa bem dos outros, não se deseja o bem dos outros, não se pratica o bem aos outros... – esta é uma reclamação generalizada, que vive na mente de quase todos.

Tudo indica que estamos todos nos afogando numa terrível tempestade de violência, e afundando num imenso pantanal de degradação.

Será assim tão dramática e desesperada a situação?!

É isso o que ficamos sabendo por meio dos órgãos noticiosos.

Se os jornais, as rádios, as TVs, embora continuando a difundir as notícias alarmantes, concedessem ainda que apenas dez por cento do tempo e do espaço por elas dedicados à divulgação do que anda sendo feito diariamente por pessoas e instituições caridosas, poderíamos mudar nosso julgamento sobre o momento atual no mundo.

É preciso dar vez ao bem. É necessário restaurar a esperança.

Que possamos saber que a bondade ainda existe.

Erosneurótico

Famosos psicólogos e psicanalistas têm culpado o controle, a decência e o pudor sexual pelos sofrimentos neuróticos.

E o remédio que receitavam era: "Cure-se pela liberdade e prática sexuais."

E como a "turminha" gostou disso!

Agora... Aí estão a Aids e as demais doenças venéreas...

E as neuroses?

Agravaram-se ainda mais.

O sexo, a grande esperança, está decepcionando, e atirando a humanidade em mais sofrimento.

O sexo é divino, minha gente!

Não o degrademos como temos feito!

Que o sexo degradado não extinga o Amor.

Erosneurótico

Não será o sexo irresponsável, promíscuo, indiscriminado, selvagem, egocêntrico que vai curar neuroses e trazer a felicidade.

A famosa e tão bem recebida "revolução sexual", segundo a revista *Time*, chegou ao fim.

Mesmo os mais alucinados "profetas do erotismo" já estão aconselhando a volta à castidade como única esperança.

Eu chegaria mesmo a convidar os seres humanos a se conduzirem sexualmente com a dignidade com que os animais o fazem.

Só o homem chegou a esse caos, a essa baixeza que se vê nas bancas de jornais.

Que o Amor santifique o sexo.

Caminho estreito

Se alguém quiser lhe vender felicidade a preços módicos e pelo crediário, não aceite.

Você pode comprar engodos – prazer, fugas, entorpecentes... –, mas felicidade, não.

Felicidade não é algo que venha por mão de outrem, quanto mais sendo comprada...

Felicidade não é algo que ainda venha a acontecer, para depois cessar...

É uma condição que já existe, e existe mais perto de você do que pode imaginar.

Ela está dentro de seu coração.

Em relax e meditação, você pode alcançar como que uma amostrinha grátis do Reino de Deus.

Já dissestes uma vez, Senhor, que o caminho é árduo.

Crença

Não conheço um ser humano agnóstico, isto é, que em nada crê.

Pode-se não crer em Deus, mas se crê em medicamento, em poder econômico, em posição social, em promessas de políticos, no poder da mentira, no poder da violência...

Há até mesmo alguns que só creem em sua própria descrença.

Assim, creem em alguma coisa...

Como é difícil ajudar a quem crê somente em sua descrença.

É tão difícil como transportar uma montanha.

Como é frágil e padecente aquele que Te nega!

Amor paterno

Não imaginamos o mal que fazemos a nossos filhos quando exigimos deles que sejam os melhores de sua classe, que ganhem campeonatos escolares, que sejam melhores em tudo do que todos os outros...

Quantas tensões perturbadoras criamos em suas mentes!...

Lembremos que, apesar de serem nossos filhos, podem não ter as condições indispensáveis a serem campeões...

Não haverá nisso tudo algo que parece amor a eles, mas que não pode ser?

Não será por vaidade nossa que desejamos exibir filhos perfeitos, supercrianças?

Ensina-me, Senhor, a amar.

Contentamento

No desespero, pare um pouco e se pergunte: "Por que estou desesperado?"

Não será porque esperou dos outros mais do que eles poderiam ser? Porque esperou *aquilo* que não poderiam dar?

Não estará desesperado porque esperou demais de si mesmo ou aquilo de que ainda não é capaz?

Esperar por soluções adequadas e perfeitas, e conforme almejamos, conforme nosso interesse egoístico, não será imprudente?

Coitados daqueles que só esperam afagos e facilidades da vida, principalmente nessa hora da humanidade!

Aprendamos a sabedoria da aceitação e do contentamento agora.

Bem sei, meu Deus, que Tu queres
que eu seja misericordioso.

Permissividade

Repare que pessoas que, sem controle e sem dignidade, se entregam aos prazeres mais diversos e mais sujos cedo ou tarde se sentem verdadeiramente enfastiadas, cheias de tédio, sem solução, imensamente vazias e como que perdidas...

No princípio, a encantadora ilusão, a aparente saciação da sede. Mas chega uma hora em que desce como que um pesado manto de decepção, e o gostoso se vai, e fica somente o clamor interno.

A fantasia se desfaz, e sobrevém o dissabor da infelicidade.

Não será hora de aprender a não confiar tanto que o prazer possa dar felicidade?

Sexo perverso acaba em miséria.
O Amor é sempre felicidade.

Gratificação

Repare: há pessoas que, se protegendo contra a ilusão dos prazeres fáceis, das diversões baratas, das orgias, da sensualidade, aceitam uma vida moderada, modesta, disciplinada e até difícil, mas, por fim, alcançam um estágio em que os valores e os sabores medíocres já nada significam, absolutamente nada, e mesmo as durezas das renúncias são substituídas por uma crescente sensação de paz, de serenidade, de fortaleza e de felicidade.

Não será hora de escolher o melhor da vida? A felicidade duradoura, que os prazeres jamais podem dar?

A porta estreita leva à Bem-aventurança.
E a porta larga?

Portas

A História fala de Nero, imperador romano que, iludido por seu grande poder político e militar, por alguns anos se divertiu à custa dos martírios que infligia aos pobres e oprimidos cristãos, mandando matá-los em espetáculos de sua sociedade pervertida.

Fala também dos cristãos que, movidos por uma força espiritual, imersos numa paz perfeita, arrimados em bases de invisível poder, suportaram todo o martírio a cantar e a louvar.

Quem realmente alcançou a Meta Suprema: ele, o monstro, ou eles, os aparentemente vencidos?

*Que nem por um minuto eu possa pensar
em optar pela porta larga.*

Ilusão

Não se deixe encantar pelas aparências.
Cultive o sentido de pesquisa da Verdade.
Quem é mais feliz: um administrador corrupto, nadando em dinheiro, fuçando o impuro prazer que o dinheiro compra, ou o homem sábio que, em sua humildade, firme na rocha de sua fé, tendo alcançado o tesouro da renúncia, no silêncio e na solidão, sem precisar de nada nem de ninguém, se entrega à delícia suprema de encontrar-se com o Verdadeiro Deus, que mora em seu coração?
Não se deixe iludir.

*Ajuda-me, Senhor, a avançar pelo caminho
difícil que conduz ao Teu Reino.*

Psicocibernética

Quando paramos para pensar, descobrimos coisas surpreendentes, grandiosas ou pequenas, libertadoras ou escravizantes, estimulantes ou deprimentes, alegres ou tristes a respeito daquilo que somos perante a vida.

Tudo depende do rumo que nossa mente assume. Vigie sua mente. Quando notar que ela pretende arrastar você para baixo, para o pior, para o buraco, dê alguns passos para trás e não deixe que, solta, a mente o deprima.

Há muitas razões eficientes para nos alegrarmos pelo que real e essencialmente é.

Nós não somos somente filhos de Deus, mas manifestações de Sua Perfeição e Poder.

Minha alegria está em poder saber
que eu e o Pai somos Um.

Administrar a mente

Devemos nos colocar em relação à mente como hábeis cavaleiros, enérgicos, vigilantes, concentrados, a dizer:

"Quem manda aqui sou eu. Você é um instrumento que eu uso. Não atenderei a seus caprichos. Quem faz opções e direciona sou eu. Você – como todas as suas manhas e fascinações – não me ilude, não me engoda... Cada dia você vai se tornar mais eficiente, mas... sob minha direção."

Como seria bom que todos fizéssemos exatamente assim!

Nesse desejável relacionamento com a mente, só uma coisa deve ser evitada – a violência da repressão.

A mente deve obedecer a um amigo simpático, pois a um arrogante tirano ela sabe se opor, e vencer.

Não permito que a mente se sinta solta.
Ela me serve, mas não eu a ela.

Racionalização

Um rapaz, querendo mostrar que podia saltar do coletivo em movimento, errou o pulo e se esborrachou no asfalto.

Em meio às risadas gerais, enquanto arrumava a roupa, justificava-se: "Cada um salta como quer."

Sua mente arranjou, na hora, uma desculpa.

Tenho visto homens e mulheres doentes, aos quais os médicos já proibiram o cigarro, dizerem com arrogância: "Eu fumo porque quero. Ninguém rouba minha liberdade. Ninguém diz o que eu devo ou não fazer."

O pior escravo é o que pensa que é livre.

Que eu me liberte do vício de iludir-me.

Opção

Na vida chamada "normal", isto é, na vida mundana, aderimos a muitas coisas, muitos hábitos, muitos valores que nos agradam, mas, como tudo acaba, com eles também acaba nossa alegria.
Começo bom.
Amargo fim.
Na vida espiritual é exatamente o oposto. A gente começa fazendo esforço e mesmo, em algumas horas, sacrifícios, mas, aos poucos, vamos nos transformando e encontrando a "paz que não cessa nunca".
O começo é árduo.
Mas o fim é feliz.

Ensina-me, Senhor, a fazer a opção correta.

Fortaleza

Você já reparou que um homem realmente forte é tranquilo, pacífico e pacificador?

Já notou também que alguns raquíticos e fracos "viram mesa e fecham bar"?

Já notou que aquele que é forte e tem confiança em si mesmo não sente qualquer necessidade de se mostrar, de posar de forte e valente, e por isso é sereno e mesmo muito bom?

O homem realmente forte não usa contra os outros sua força.

Não abusa de ninguém.

Chega mesmo a parecer medroso por não querer machucar os mais fracos.

Já o fracote... Como costuma ser abusado!

Sou forte, graças à Tua santa presença em mim.

Caminho do meio

Algumas pessoas podem adoecer por excesso de trabalho, quando a fadiga e a irritação arrasam os nervos, perturbam o funcionamento orgânico de modos diversos e esgotam as reservas de energia vital.

Outras, vítimas da preguiça, largam-se, amolecem e ficam parecendo pântanos, paradas.

Que acontece com qualquer máquina que nunca ligamos?
Emperra, enferruja, desarranja-se...
Com o organismo é a mesma coisa.
A inatividade intoxica, bloqueia o fluxo da energia...
Preguiça é doença e gera doenças.
Agitação também...

Que a sabedoria administre minhas ações.

Tao

Saúde, alegria, felicidade e paz só se encontram no "Caminho do Meio".
Que caminho é esse?, você tem o direito de perguntar.
Caminho da vida entre os extremos, evitando o exagero seja em que aspecto for: alimentação, repouso, divertimento, estudo, alegria, rigidez, poder, jejum, atividade, austeridade, folga, moleza...
Manter uma linha de equilíbrio entre os opostos é indispensável à manutenção da saúde, da alegria e da felicidade.

Que os extremos não me alcancem e eu fique isento.

Equanimidade

Você já observou um barquinho amarrado, flutuando? Se a maré sobe, ele sobe; se desce, ele desce.

Um barquinho assim nos dá uma lição preciosa – a lição de não nos enrijecermos, de evitarmos excessos de respostas emocionadas às coisas da vida.

A vida às vezes nos dá motivos de alegria – não nos excedamos em explosões alegres.

Outras vezes ela nos dá uma dolorosa bordoada – não endureçamos em resistência excessiva, nem nos entreguemos a demasiada tristeza.

"Caminho do Meio", meu amigo!

*Cultivarei a equanimidade como quem
protege um tesouro.*

Prece

Tenho assistido pessoas se curarem, arranjarem emprego, resolverem situações, melhorarem em tudo porque aprenderam a usar o tremendo poder da prece, mas principalmente aprenderam como fazê-la.

A oração não é nada uma coisa "careta", algo humilhante, piegas.

Pode ser considerada como a mais poderosa das técnicas terapêuticas de que dispomos para promover nossa mais perfeita "qualidade de vida".

É quando oro intensamente que mais intensamente vivo.

Ira

Qual de nós que, diante de uma indignidade, de uma ofensa grave, de uma tremenda injustiça... não se deixa tomar numa crise de ira?!

Na hora, sentimos o impulso de destruir, de punir, de dominar o autor ou autores do malfeito! Basta não ter "sangue de barata".

E há ainda aquele que de "pavio curto", que, igual a algum tipo de mate, "já vem queimado"!

Irar-se é humano.

Não é humano manter a ira.

Um sábio hindu – Ramakrishna – disse: "A ira de um sábio dura tanto quanto um risco que se faz na água."

E São Paulo aconselha: "que o sol não se ponha sobre tua ira"; isto é, não deixes a ira passar para o dia seguinte.

Senhor, ajuda-me a ser calmo em toda circunstância.

Psicossomática

A crise da ira provoca, no corpo e na mente, um tremendo rebuliço.

O coração se agita, a palidez toma conta do rosto, as pernas tremem e se sente um soco na boca do estômago.

Esse caos orgânico é associado ao caos das ideias, dos pensamentos...

Enfim, a ira envenena (mesmo!) todo nosso ser.

Se possível, evite a ira.

Se chegar a ficar irado, procure relaxar.

Conte até mil...

Principalmente admita: "Se Fulano consegue me deixar irado, é porque já está me vencendo..."

Não permita ninguém atingir você assim.

Que minha alma seja sempre um remanso,
mesmo na crise.

Inofendibilidade

A melhor forma de evitar a ira é ser não ofendível.

Ofendível é a pessoa que se esquenta com frequência, e por motivos sem grande importância.

Nossa ofendibilidade é do tamanho do amor ou adoração que temos por nós mesmos como pessoas.

"Ninguém é bastante homem para me ofender, para me desrespeitar, para me humilhar...", diz o egoísta orgulhoso.

Ora, o mundo não se sente na obrigação de sempre respeitar e acarinhar a gente.

Assim, a cada hora, estamos precisando brigar para defender e homenagear nosso ego.

Isto é vida que valha a pena viver?

Que grande estupidez é a suscetibilidade aguçada!

Comunicação

Lanço aqui um apelo:

Se você tem como, procure fazer com que os órgãos da imprensa, que formam a opinião pública, que influenciam nos costumes, não deem atenção, espaço e tempo quase exclusivamente (como vêm fazendo) às manifestações do mal – os crimes, os escândalos, os vícios –, às perturbações, finalmente ao que poderíamos chamar patologia social ou aberração cultural. Que jornais e revistas reservem um mínimo possível de atenção e espaço, que as rádios e TVs dediquem o mínimo possível de atenção e tempo às manifestações sublimes do amor, da caridade, da pureza, da abnegação, da decência, da bondade... finalmente à dignidade humana, que existem mesmo, embora ignoradas.

Agora que tanto se fala (felizmente!) em "direitos humanos", seria bom que se reconhecesse como um importante "direito" a informação correta e mesmo retificadora. É mentira, é embuste que só o mal e a enfermidade existam na espécie humana. Os seres humanos realmente são "filhos e criaturas do Deus Perfeito".

Que os homens que têm em suas mãos os talentos poderosos da imprensa não continuem esse processo de desesperança, de desfiguramento da humanidade.

*Paz na Terra aos homens movidos pela
benevolência e pela Verdade.*

Empatia

A você, que aderiu à ideia de tornar-se o "servo bom e fiel", mais um pedido:

Procure conhecer, aí na vizinhança, em seu bairro, em lugar que lhe for acessível, uma ou mais instituições que prestam caridade. Sempre existe alguma e, infalivelmente, se debatendo em crises de sobrevivência, estará dependendo de sua colaboração. Há sempre indivíduos ou casas assistenciais que dependem de você e de mim. Há sempre pessoas desamparadas na velhice, esmagadas pela solidão ou por doenças, há sempre crianças cujo futuro – feliz ou desgraçado – está precisando de sua cooperação e da minha.

Precisamos – você e eu – dizer assim:

"Meu Deus, estou cumprindo meus deveres de caridade, e nisso estamos encontrando a verdadeira felicidade, a de estarmos Te ajudando com as pessoas necessitadas."

Se trocarmos a posição de quem pede pela posição de quem dá, enriqueceremos.

A dor dos outros dói em mim.

Doação

Não peça compreensão, ofereça-a ao incompreendido.
Não mendigue elogio, estimule-o.
Não procure atrair atenção para si, dê atenção aos demais.
Não reclame amor, afago... ofereça, isto é, ame e seja carinhoso.
Somos ricos não pelo que temos, mas pelo quanto oferecemos, propiciamos e damos aos demais.
A riqueza está em dar.
A pobreza, em mendigar seja o que for.

Existe miséria maior do que a insatisfação mendicante?

Renúncia

"Quem dá aos pobres empresta a Deus", dizem muitos.
Conheço gente que tem ajudado outras pessoas, gente que é diligente em instituições de caridade, sob a inspiração desse pensamento.
Ótimo para aqueles que recebem seus favores.
Mas, para o próprio "caridoso", melhor seria que continuasse a fazer o bem, mas sem este propósito de fazer um negócio com Deus, à espera de "juros e correção monetária".
Façamos o bem. E chega!
Basta-nos a alegria de fazer.

Nada mereço, pois é Deus que faz
o bem através de mim.

Autoanálise

Há pessoas que não fazem mal porque estão atrás das grades.
Outras pessoas não o fazem por temor à polícia.
Outras por temerem somente o julgamento alheio.
Há algumas que chegam mesmo a ser "boazinhas" porque desejam ser admiradas pelos outros.
Há algumas que foram ensinadas, treinadas, programadas para serem "boazinhas".
Finalmente, há as que fazem somente o bem porque obedecem à voz de sua própria consciência.
Onde você se coloca?!
Desculpe a curiosidade!
Não responda a mim, mas a si mesmo.

Que eu possa sempre fazer o bem, em Teu nome
e usando Tuas Divinas Energias.

Justiça punitiva

"Ora, eu furto, e ninguém fica sabendo..."
Coitado do idiota que pensa assim.
Os vizinhos, os amigos, os parentes, o público, a polícia podem ignorar...
Até eles próprios, se fazendo de "esquecidos", podem ignorar a má ação...
Mas há uma lei infalível – a Grande Lei –, sempre vigilante, que é tão natural como qualquer outra lei científica, que não perdoa e não erra.
O sofrimento persegue o culpado, não importa onde ele tente se esconder.

Que Tua Santa Lei sempre se cumpra.

Autoterapia

Você quer ter saúde?
Pois bem: evite espetáculos degradantes.
Evite se intoxicar (drogas, álcool, cigarros).
Evite pensamentos e emoções impuros e perturbadores.
Evite alimentos errados (impuros, excitantes, inapropriados...).
Evite fazer, desejar e dizer maldades contra os outros.
Evite excesso de trabalho ou de preguiça.
Conserve o corpo, a mente e as emoções em "astral muito alto" – todo o tempo.

Que meus pensamentos, sentimentos e emoções estejam sempre em sintonia com a Beleza Infinita que Tu és.

Autoterapia

Saúde não é coisa que se compre em farmácia.

Saúde se compra na quitanda, no armazém, selecionando bem os gêneros alimentícios.

Saúde se tem de graça, no ar que se respira, nos bons sentimentos e pensamentos, que se mantêm na atividade sábia (ginástica e esporte), no repouso (sono ou relax), no chá de ervas, na boa mastigação e principalmente na consciência livre de culpa.

*Que eu possa sempre Te ofertar um corpo sadio
para Te servir de Templo Santo.*

Psicocibernética

Cada vez que você se convence de que é fraco, está se condenando à fraqueza.

Cada vez que você se imagina vencido, já está assinando a rendição.

Convencido de que é um doente, já está adoecendo.

Mas também é igualmente verdade que quando se imagina forte está se fortalecendo.

Cada vez que acredita em sua vitória, já a está alcançando.

Cada vez que afirma estar sadio, está criando a saúde.

O que na mente acreditamos ser, nisso nos tornamos.

Santificado por Deus, meu corpo é sadio sempre. E sempre forte e resistente, pois a Onipotência dele cuida.

Consagração

Quando um tormento o alcançar, não se desespere nem se revolte.

Uma criança a quem o pai nega um sorvete, por querer evitar uma piora em sua bronquite, sente a negação como uma injustiça, uma frustração e até falta de amor por parte do pai.

Em seu curto entendimento, é assim que pensa.

Nós também, em nossas dores, nos tornamos cegos para entender os planos de Deus.

Num quadro de sofrimento, convém lembrar o que disse São Paulo: "...todas as coisas contribuem conjuntamente para o bem daqueles que amam a Deus."

Consagre-se a Deus!

Faça-se, Senhor, Tua Santa Vontade. Não a minha.

Pacificação

Quer acabar com a violência? Pois comece em você mesmo.
Reduza suas ambições.
Controle seus ódios.
Apague seus ressentimentos.
Cultive a honestidade.
Fale a verdade.
Faça o bem sempre que puder.
Apague as lágrimas dos que choram.
Ampare os que estão sofrendo.
Perdoe aqueles que, por ignorância e inferioridade, o feriram.
Reduza suas tensões.
Alegre-se com a felicidade dos outros.
Pense no bem dos outros antes de pensar no seu.

Que meu coração em Paz a propicie a todos.

Não violência

"Não sou homem pra engolir desaforo"; "não levo ofensa pra casa"; "para cada golpe que me derem eu tenho dez pra dar"; "ele não sabe com quem se meteu..." – são frases proferidas no auge do orgulho, da soberba, da vaidade pessoal.

São frases nascidas do egoísmo, não da valentia, não da serenidade...

São frases produzidas pelo instinto primitivo da gente...

Não são – estejam certos – frases nascidas da sabedoria e proferidas pelos que realmente são bravos.

A mansidão é a verdadeira valentia.

Intelecto

Você é um desses intelectuais que empenham o nobre talento de que é gerente em estudar, pesquisar, se esclarecer, em buscar ávida e diligentemente a Verdade?

Você tem se apercebido de que, com seu talento, pode melhorar-se e melhorar as pessoas e a sociedade como um todo, trabalhando arduamente no plano das ideias e ideais, levando propostas e luzes àqueles que, menos dotados intelectualmente, são passíveis de influências (benéficas ou maléficas)?

Há ainda muito que descobrir, entender, conhecer, e, em consequência, propor, ensinar, passar aos demais.

Veja seu bem-dotado intelecto como um poderoso instrumento para sua elevação e a de um número incalculável de pessoas.

Seja vigilante e empenhado no uso de sua inteligência.

Protege, Senhor, de equívocos, dogmas e outras formas de impureza o meu intelecto. Que eu possa, cada vez mais, melhor entender e pensar.

Amor

Haverá uma norma geral que devamos seguir para nos assegurar a condição de "servo bom e fiel"?

Um hindu provavelmente diria: procure-a nas instruções do Verbo Divino (*Krishna*), no *Bhagavad Gita*.

Um budista sugeriria a reflexão e aplicação do *Caminho Óctuplo*.

Um zoroastriano indicaria o *Zend Avesta*.

Um judeu falaria da *Torá*.

Um cristão citaria os *Evangelhos*.

Alguém que seja um verdadeiro "servo bom e fiel" proporá: consultemos o Amor, que é a origem e a meta ensinadas por Krishna, Buda, Zoroastro, Moisés, Cristo e tantos outros mais, Divinos Mestres do Amor.

Inspire-se no Amor e seus talentos serão dignificados, canalizados, utilizados, sem erro nem culpas, e mesmo serão acrescentados. "Ao que tem (Amor) mais lhe será dado (talentos)."

Que nossos pensamentos, desejos, palavras e ações
sejam inspirados pelo Amor.

Caim e Abel

Há dois tipos de seres humanos.

Uns que sacrificam os outros, visando exclusivamente seu próprio lucro, vantagens, vitórias, ganhos, conquistas...

Outros, que por sabedoria e bondade, compaixão e nobreza se sacrificam pelos demais.

Os primeiros são os egoístas.

Os segundos, os santos e sábios.

Posso garantir-lhe uma coisa:

Os primeiros se iludem pensando que são felizes; os últimos verdadeiramente o são.

Que eu possa amar e servir sempre a todos, em tudo.
Que eu possa me tornar instrumento da Providência.

Educação

Ainda há muitos pais que dizem aos filhos: "Filho meu não volta com pancada para casa; filho meu é homem..."
Essa educação para a violência tem criado tanto sofrimento!...
Não quero dizer que você deva criar seu filho como um covarde, mas... a educação de que o mundo está urgentemente precisando – senão acabará – é a educação para a concórdia, a harmonia, o amor e a paz.

*Hoje mesmo começarei a cultivar a Paz como
quem cultiva sua própria felicidade.*

Desejos tirânicos

A verdadeira felicidade não é alcançada por atendermos a nossos desejos. Isso nos cria um círculo vicioso.

Quanto mais tentarmos atender a nossos caprichos e desejos, mais nos escravizaremos a eles, pois se tornam cada vez mais exigentes, nunca se dando por satisfeitos.

E isso é infelicidade.

Gozo não é garantia de felicidade.

Ser feliz não está em desfrutar descontroladamente, mas exatamente no contrário: no domínio de nós mesmos.

Senhor, toma em Tuas mãos o comando do meu barco,
para que nunca se desvie do rumo.

O mortal e o imortal

Você é formado por um "você" que vai morrer algum dia – refiro-me a seu corpo – e por um "você" que jamais morrerá – seu Ser Espiritual.

Há pessoas que, por ignorância, vivem como se o corpo e aquilo de que o corpo gosta fossem eternos.

Para elas só o corpo interessa; vivem à base do corpo...

Tais pessoas têm um encontro marcado com a tristeza, pois o corpo envelhecerá, enfeiará e morrerá. Mais cedo ou mais tarde.

Que tal passar a dar mais atenção ao "você" que não termina – você Espírito?

Meu corpo existe agora. O Ser que Eu Sou sempre É.

Fácil, mas falso

Logo que cheguei ao Rio, fui vítima de um "golpe" por um malandro.

Comprei, como se fosse linho, embrulhado em papel-celofane, um corte de fazenda ordinária.

De início, a alegria do baixo preço. No fim, a tristeza de ter sido logrado.

Desde aquele dia, ativei meu "desconfiômetro".

Vivo alerta, para nunca mais comprar objeto de alto valor por preço baixo.

Mas a maioria ainda anda por aí, pretendendo comprar felicidade, vitória e segurança por meios fáceis, que não exigem sacrifícios.

Tu bem disseste, Mestre, que o caminho é estreito.

Pseudovalentia

Você já viu uma pessoa feliz e forte, sábia e em paz viver brigando com os outros?

Você já observou como uma pessoa fraca, infeliz, ignorante e conflitada não perde ocasião de pretender impor-se aos outros com suposta valentia, com estúpidas demonstrações de coragem e ostentação?

Quem é feliz é sempre bom.

Quem é infeliz ou fraco é que se sente impulsionado a provar que não o é, e para isso chega a ser agressivo.

Cultive a paz.

Produza bondade.

Fazei de mim um instrumento de Vossa Paz.

Mansuetude

As pessoas mansas, pacíficas, caridosas sempre são fortes, tranquilas, contentes e felizes.
Quem é feliz só quer o bem, só faz o bem, só diz o bem...
O indivíduo malvado, em sua perversidade, demonstra o quanto é ignorante, inseguro, doente e desgraçado.
Só os frustrados vivem agredindo.
Os vitoriosos e firmes jamais são violentos.
São sempre muito bondosos, pois nada querem tomar, nada querem segurar, nada temem, a ninguém detestam. E assim, como são felizes...

Minha fortaleza está na mansidão.

Autoconhecimento

Desconfie dos que vivem apontando os defeitos, falhas, pecados e inferioridades dos outros.

Nisso eles ou elas conseguem momentos de distração em relação a seus próprios defeitos, falhas, pecados e inferioridades.

A pessoa que cultiva a paz, a felicidade, a saúde, o que há de melhor em si usa seu tempo na procura de saber sobre os aspectos negativos que ainda tem em si, não para lamentar, mas para reduzi-los. E deixa os outros pra lá.

Conhecer os defeitos dos outros não ajuda.

Somente atrapalha.

Já conhecer os nossos nos melhora.

Preciso tirar a venda de meus olhos e assim poder ver o que em mim deve mudar, para poder Te ver, Senhor.

Sanidade-Santidade

O corpo é um talento de suma importância. Nosso instrumento de atuação e experiência no mundo, ele é para nós o que o uniforme espacial é para um cosmonauta em missão.

Para mantê-lo em forma, devemos cuidar dele com bastante atenção e empenho, seja para vencer uma doença que se instalou, seja para resistir ao adoecimento. Mais importante, porém, é criarmos um estado de higidez, de resistência, de maleabilidade, de juventude, de boa disposição; finalmente, um ótimo estado de saúde. Tratar de doenças é importante; mais importante, contudo, é tratar da saúde.

Quem cultiva a saúde nem se lembra de doença. Para isso, nossa mente deve se manter sempre ligada à ideia de saúde, energia, força e desligada de doença, fraqueza e morbidez.

Não tema a doença. Ame a saúde.

Tua Santidade, Senhor, é a segurança
de minha sanidade.

Saber orar

Por que orar sempre pedindo algo?

Na condição de pai, que acharia de um filho que só viesse a você somente com pedidos?

Que acharia de outro que estivesse sempre disponível, sempre querendo colaborar ou lhe declarar amor?

Que sentiria um pai por um filho que toda vez que o procura é porque arranjou uma encrenca e está pedindo socorro?

Que acharia do irmão dele, que, permanentemente, está buscando contato, com o desejo de expressar sentimentos ternos, admiração, afabilidade e que se sente feliz em estar com o pai?

Que tipo de filho você tem sido para o Pai Divino?

Como são suas orações?

Deus pode contar com você?

Eu te amo, meu Deus. Estou disponível. Usa-me.

Falar corretamente

Que uso você tem feito de sua fala?

Quem usa a linguagem para mentir, enganar, explorar, manobrar, agredir, praguejar, seduzir... acredite, está se condenando ao sofrimento, se já não estiver sofrendo as consequências do mau uso que fez antes. Já sabemos o que espera aquele que corrompeu o talento da expressão oral.

Administre, com sabedoria e vigilância, suas palavras, jamais empregando-as para difamar, intrigar, iludir, ferir...

Pela palavra você pode levantar o deprimido, pacificar o aflito, esclarecer o iludido, encorajar o amedrontado, curar o doente, indicar o caminho, alegrar o triste, defender a verdade e a justiça, promover a concórdia...

A palavra tem poder mágico, tanto para construir como para destruir.

Fale com prudência, verdade, amor e firmeza.

Que minha palavra faça florescer
o bem na humanidade.

O templo

Isso mesmo, jovem. Cuide bem de seu corpo.

Alimente-o inteligentemente. Não o desgaste em excessos esportivos, eróticos ou profissionais. Não o amoleça com prolongados e estagnantes repousos. Dê-lhe atividade correta. Pratique ginástica, de preferência *Hatha Yoga*. Recuse-se a iniciar qualquer vício. Mantenha seu corpo jovem, forte, elegante, ágil, limpo por dentro e por fora, eficiente, lépido, resistente...

Mas, por favor, nunca chegue a fazer de seu corpo um ídolo para sua adoração. Idolatria, não. Narcisismo, nunca.

Nunca se esqueça – se é que pretende evitar enorme frustração – de que, embora precioso, ele não é eterno, e não passa de um simples equipamento do espírito.

O espírito que você realmente é está, *temporariamente*, utilizando o corpo.

Seu corpo é um maravilhoso talento que você – espírito – tem de administrar muito bem. Com cautela e muita dignidade.

Eis, Senhor, meu corpo-templo. Santifica-o.

Liberdade

Arrancar a planta venenosa logo quando desponta do chão é fácil.

Quando já cresceu um pouco, torna-se mais difícil.

À medida que os ramos já estão grandes e as raízes mergulharam fundo na terra, torna-se quase impossível.

É isso que me vem à mente quando vejo um indivíduo idoso, pigarreando, ofegante, canceroso, tendo de abandonar o cigarro, sem que o possa. Matando-se cada vez que fuma, mas se mantendo no vício, sem poder largá-lo.

Como teria sido diferente se tivesse parado o hábito de fumar, antes que se tornasse um vício!

Nos primeiros cigarros, nas primeiras doses de álcool, nos primeiros contatos com algum tóxico é que se deve dar um basta. E ainda melhor seria que nunca houvesse um acender de cigarro, um tragar ou cheirar uma droga qualquer.

O homem nasceu para tornar-se cada vez mais livre e mais puro, e não para ser um escravo.

Fortalece, Senhor, minha vontade e esclarece minha inteligência para que eu nunca me degrade.

Mãos

Que uso tem feito de suas mãos?
Suas mãos têm ficado inertes e inúteis?
Isso é lamentável. O que fica parado acaba se deteriorando. Não deixe suas mãos estagnadas, sem nada fazer, quando há tanto para ser feito.
Tem usado suas mãos para trabalhar somente em seu proveito?
Isso não é totalmente bom. Há multidões a depender daquilo que as suas mãos podem fazer. É bom trabalhar para si, mas não somente para si.
Suas mãos já agrediram algo ou alguém.
Nossas mãos nunca deveriam servir para a crueldade.
Olhe agora para suas mãos. Aí estão elas. Passe a usá-las para ajudar, para construir, para afagar, para abençoar, para amparar, para curar, para trabalhar.
Multidões de necessitados estão dependendo de uma "mãozinha".

Que minhas mãos sejam instrumentos Teus.

Equanimidade

Se você só se sente bem em dias de sol, mas nos dias chuvosos se sente triste e deprimido, coitado de você.

Desse modo, você será irremediavelmente uma pessoa entregue à infelicidade, pois o sol brilhar ou chover não depende de você.

Não é somente a condição climática que depende de você. Milhões de outros fatores se impõem à sua vida, e você terá de suportá-los. Aliás, há muito pouco sobre você que pode ter gerência. Quase tudo escapa a seu controle, e quase nada se curva a seu gosto ou conveniência.

Procure conhecer sobre o que você tem domínio, e se contente com o que vier.

Epicteto, um sábio da Antiguidade, ensinou uma fórmula muito eficiente para a condução de nossa vida: "Não faça sua felicidade depender daquilo que não depende de você."

Estou contente, portanto estou feliz.

Caminho do meio

Proteja sua saúde, ou pelo menos não atraia ou provoque a doença.

Uma das coisas que nos adoecem é nos agitarmos demais em trabalho excessivo, É trabalhar avidamente, sem parar, sem repousar, sem férias...

A certo ponto sobrevém a fadiga, e com ela uma grande variedade de doenças pode nos atingir.

Outra coisa que nos adoece é exatamente o oposto, não trabalhar, ficar inerte, preguiçosamente, inutilmente. A inércia é causa de enfraquecimento e atrofia.

Para ter saúde física e mental, trabalhe bastante, mas não demais.

Trabalhe, produza, mas também repouse.

Que eu nunca me afaste do caminho do meio.

Superação

Responda-me: o que devemos fazer melhor em face de uma adversidade, uma crise, um desafio doloroso? Podemos nos comportar de três maneiras diferentes:

(1) "...E agora?! Estou perdido totalmente";

(2) "Não faz mal. Deixarei tudo com Deus";

(3) "Não me dou por vencido. Vou enfrentar... Lutarei, contando com Deus."

A melhor solução é infalivelmente encontrada quando:

(1) Não me dou por vencido, nem mesmo desanimo;

(2) Ponho-me valorosamente em ação, tentando tudo que posso;

(3) confio-me totalmente à ajuda divina, que não falta, seja qual for o resultado que eu venha a alcançar.

Isso resume a filosofia da "superação", que está ao alcance de todos que a cultivem.

Abro a vela de meu barco. Deus é a brisa que o levará.

Agir corretamente

Se você já descobriu que um dos caminhos mais eficientes que nos religam a Deus é ajudar, servir, amparar, proteger aqueles que precisam, comece agora mesmo.

Mas pondere:

(1) não o faça pretendendo com isso receber algo de volta, e nem mesmo se envaideça como o autor da ação benemérita;

(2) não se deixe abater pelos muitos obstáculos do caminho, nem pelos resultados frustradores;

(3) ofereça a Deus todos os frutos que vier a colher.

Sirva, sabendo, porém, que a você só corresponde fazer o esforço.

Os resultados são de Deus.

Só assim se é feliz ao ajudar.

Só esta forma de servir conduz a Deus.

Tu és o Trabalhador. Que eu seja Teu instrumento.

Religião

Dizer "minha religião é a única que presta, e todas as outras são de Satanás" é uma das formas mais condenáveis de agressão e uma prova de lamentável ignorância, ou, muitas vezes, é apenas um sinal de que se está fazendo o jogo maroto de um falso líder de uma seita qualquer, que vive a aumentar sua conta de banco à custa das oferendas em dinheiro, que seus ingênuos e subservientes sectários são conduzidos a fazer.

Religião, a única que realmente vale, é aquela que, cada um, dentro de si mesmo, no altar do coração, no sublime silêncio da mente, em devotamento extremo, cultua a Luz Radiosa que lá se encontra. Chame-o Pai, o Ser, Deus, Brahman... é no nosso coração que Ele se encontra, e é ali que Ele nos espera.

Religião é essencialmente a religação de cada um com o Deus Uno, resplandecendo dentro de cada um.

É somente entre você e o Pai que o fenômeno religioso acontece.

Sou uno com meu Pai; sou portanto perfeito.

Religião

Só o *Amor*, a *Verdade* e o *Servir* podem nos aproximar de Deus. Mas é preciso que o Amor seja universal e renunciante, que a Verdade não seja relativa e que o Servir seja marcado pela ausência do ego que reivindica recompensas.

Nosso Amor tem de ser como aquele que Deus dá a todos.

Nossa Verdade só será Verdade se nos des-vela a Presença transcendente, mas onipresente, de Deus.

Nossa ajuda, amparo, socorro devem ser destituídos tanto da vaidade de sermos autores como do cálculo e expectação de recompensa, seja ela qual for.

Amando, conhecendo, servindo, temos de nos assemelhar a Deus; o que não é nada fácil...

Se em nosso cotidiano tentarmos com empenho purificar nosso modo de amar, de buscar a Verdade e de prestar serviço, estaremos praticando a mais perfeita religião.

Que eu possa manifestar Teu Amor,
Tua Verdade, Tua Providência.

Justiça punitiva

Crime dá dinheiro, sim. Com o dinheiro se pode comprar gozo material e até altas posições na sociedade e na política.
É o que se tem visto.
Mas chegará a dar paz verdadeira, verdadeira segurança, amor autêntico?...
A ação cruel e injusta acarreta dívidas com a Lei Maior, aquela que não erra e da qual ninguém escapa.
Só os que insistem em ficar na ilusão da posse e do gozo dos frutos imediatos, e supondo que podem fugir às penas da lei, isto é, à dor infalível que algum dia os alcançará, optam pela ação criminosa.
Tenho compaixão de todos os iludidos que, ou ignoram a Lei Divina, ou ainda acreditam que são bastante espertos a ponto de se esconderem, fugindo do ajuste de contas.

Quero apenas, Senhor, aquilo que
Tua Graça me concede.

Bom dia

Bom dia! Bom dia *mesmo*!
 Esta não deveria ser uma expressão de mera gentileza.
 Deve ser sempre uma fiel expressão de puro e verdadeiro amor.
 Para você, meus votos de que sempre tenha bons dias.
 Quero dizer com isso à tarde ou à noite, de volta a casa, goze a preciosa alegria de ter nutrido pensamentos, dito palavras, aninhado desejos, realizado ações que só tenham feito bem a todos, que tenham levado coragem, alegria, paz, lucidez, bem-estar, segurança, amor, valorização, ânimo a todos. Que ao fim do dia sua consciência esteja em festa, e assim você se sinta mais próximo de Deus, e tenha certeza de que os talentos foram todos valorizados e que você contribuiu para tornar o mundo melhor. Desejo que ao final de seu dia, antes de dormir, fazendo um exame de consciência, tenha a certeza de que está sendo um bom investimento de Deus.

Quero apenas ser um dócil instrumento.
Que meu dia seja sempre Teu.

Egocentrismo

Visando a defender-se de angústias, ansiedades, depressões, aflições, enfim, comece a tirar seu ego do altar de sua vida.

Sem se aperceberem, as pessoas fazem de si mesmas a coisa mais importante e preciosa deste mundo. É assim que, inadvertidamente, passam a ser demasiadamente exigentes e sensíveis, intransigentes e arrogantes. Acham que todos lhe devem respeito, consideração, homenagem, reconhecimento e mesuras, e até subserviência.

Ora, longe está o mundo de reconhecer a importância que cada pessoa se dá; não reconhece nenhuma obrigação de atender a tais egoístas, e aí começa o desfile de frustrações, de padecimentos, de crescentes tensões.

O mais eficiente remédio contra todos os sofrimentos, que o egocentrismo engendra, é minimizar o ego, isto é, a humildação.

*Que eu possa a cada dia aliviar-me
da carga que é meu ego.*

Poder divino

Duas são as formas de você enfrentar as grandes batalhas que a vida impõe:

(1) você mobiliza suas forças e recursos, dispõe taticamente suas armas, garbosamente se movimenta, convicto de que "querer é poder", e se lança na briga, contando somente com você... Isto é bom, mas...

(2) igualmente você se apresenta com o que tem, corajosa e empenhadamente se organiza e trava a batalha, mas se reforça para a vitória, com o se colocar confiantemente nas mãos de Deus. Nosso poder pessoal é insignificante quando comparado com a onipotência divina.

Esse segundo método é o único quando o adversário é incomparavelmente mais forte que nós. Só podemos, no entanto, usá-lo, isto é, fazer de Deus nosso Aliado, nas causas verdadeiramente nobres, puras e santas.

É fácil saber por quê. Não?

Senhor, minhas batalhas são Tuas.

Verdadeira felicidade

Pretender ser feliz mediante adquirir mais, reter mais, multiplicar, acumular, gozar, aproveitar as coisas evanescentes deste mundo é a forma universal de ser envolvido num grande embuste, que degenerará em tédio, vazio, neurose, dor e acabará nas masmorras do dissabor e da depressão.

Nenhuma pessoa jamais conseguiu reter indefinidamente as coisas e as pessoas, as situações e posições de que tanto gosta. O que é mundano é transitório. Hoje é, amanhã deixa de ser.

Se assim é, por que esperar ser feliz com a aquisição e a posse?!

Por mais que você tente, jamais poderá obter perfume da carniça, nem alimento de um pedaço de granito, nem saciar a sede chupando uma brasa...

Como ainda insiste em ser feliz naquilo que só lhe reserva frustração?

Só o Imutável e Eterno Ser pode nos dar a Felicidade imperecível. Ele é a própria Felicidade.

Venha a nós o Teu Reino.

Impermanência

No mundo que tontamente tomamos como real, mas em verdade é de aparências, tudo nasce e morre, tudo sobe e desce, o que cresce mingua, o que brilha se apaga, o que se lucra se perde, tudo que ilude desilude, tudo que diverte terminará... Nada tem estabilidade. Tudo flui. Tudo muda e re-muda...

Você ainda pretende, mesmo assim, querer construir sua segurança num tal mundo?

Por que não tomar uma nova direção?

Por que não encarar a verdade?

Por que não começar a renunciar ao mutável e inconsistente mundo de meras aparências, ora atraentes, ora ameaçadoras, ora de risos, ora de gemidos?...

Por que não tratar de procurar aquilo que eternamente É?

"Meu Reino não é deste mundo."

Libertação

Se você está se empenhando por se libertar, receba meus aplausos. Se você se recusa a ser manipulado, oprimido e reprimido, está merecendo parabéns. Eu estou com você.

Mas nenhum esforço pela libertação será bem-sucedido sem que tenhamos identificado os verdadeiros manipuladores, opressores e repressores.

Geralmente só vemos os tiranos em nossos relacionamentos com outras pessoas. Não é assim?

Nossos verdadeiros tiranos, no entanto, estão dentro de nós. São nossos desejos, ansiedades, apegos, rejeições... Todos eles, obsessivos e exigentes. Não sabemos o que seja liberdade se, dentro de nós, se estabeleceu a servidão.

Liberte-se dos desejos que nascem do ego. Liberte-se do ego que nasce da ignorância. Liberte-se da ignorância, por realizar Aquilo que todos somos – o Ser.

Que reine em mim Tua vontade e nunca meus caprichos e desejos egocêntricos.

Perdão

Em relação a quem nos fez mal, o que é normal é alimentarmos ressentimento. Pessoas mais ignorantes e egoístas chegam a planejar e até executar projetos de revide, na base do "olho por olho, dente por dente".

Ora, o mais inteligente a fazer em relação a uma pessoa má e perigosa é criar uma distância profilática. Não é mesmo? Que faz você quando sabe que naquela touceira há uma cobra venenosa?... Afasta-se. Ou não?!

Enquanto nutrimos ressentimentos, lembranças desagradáveis, desejo de vingança, estamos prolongando uma ligação nefasta e arriscada. É inteligente isso?

Perdoando o ofensor, nós o desligamos. Ficamos longe, fora de seu alcance.

O perdão nos liberta do ofensor, e liberta o ofensor também.

Perdoar é divino.

Perdoa-me, Senhor, pois já perdoei quem me feriu.

Falar corretamente

"Por falta de um grito se perde uma boiada", é o que dizem.

O que frequentemente tenho observado é que por causa de um grito dado muitas boiadas inteiras foram perdidas.

Há palavras que, em certas horas, ditas com determinadas entonações, sem controle, mas seguindo o impulso da irritação ou da ira, põem a perder tudo quanto se queria salvar.

Temos de ser prudentes ao falar. Às vezes, para evitar proferir a expressão desastrosa; doutras, exatamente para dizer, com precisão e eficiência, o que precisa ser dito, a fim de não nos arrependermos depois.

Sejamos judiciosos em nosso falar.

Há certas horas em que não podemos deixar de dizer; doutras, o melhor é calar. Às vezes, falar nos condena. Às vezes, nos salva.

O talento da palavra exige prudente administração.

Que meu falar seja sim, sim, não, não,
conforme ensinou o Mestre.

Tranquilidade

Só intuímos a solução correta e só achamos a melhor saída, só encontramos o melhor remédio e a mais adequada providência quando estamos tranquilos.

Intranquilos, tumultuamos o pensamento, obscurecemos a mente e perdemos não somente o rumo, mas a direção do passo imediato a dar.

Intranquilos, não temos ouvidos para o Logos, não temos olhos para a Luz; nos fechamos para Deus. Deus Se mostra e não podemos vê-Lo. Ele fala e não O escutamos.

O tesouro da tranquilidade não pode ser encontrado repentinamente. Se não temos o hábito de cultivar a quietude, impossível se torna enfrentar uma situação adversa inesperada com a alma tranquila.

Observemos a nós mesmos nas mais diversas situações, com o propósito de, aconteça o que acontecer, não perdermos o controle e a calma.

Aquietai-vos, e sabei que EU SOU DEUS.

A meta

Quando alguém liga seu carro, já sabe para onde tem de ir.
Movimenta o veículo e o dirige sempre para lá.
Tudo que faz nos controles visa atingir o ponto de destino.
É dificílimo que essa mesma pessoa conheça para onde dirigir o carro de sua vida.
A maioria vive por viver e sem saber *por que, para que* e *para onde* se destina. Não tem rumo. Não tem meta.
Muito poucos, nesta humanidade caótica, fizeram uma opção para sua existência.
Vivem como que imantados pelos desejos, impulsos, interesses e atrativos imediatos, vagando ao sabor dos fascínios cambiantes, subjugados às seduções momentâneas...
Numa hora, alcançam as fantasias que perseguem, e se alegram.
Noutra, se veem despojados dos objetos de seus apegos, e se deprimem.
Volubilidade. Fraqueza... Falta de rumo. Ausência de meta.
Qual é sua meta?

Acima de tudo, quero voltar a Teu Lar, que é meu.

Concórdia

Quando ocorre uma briga, um desentendimento que gera mágoa e pode levar a um rompimento, a pessoa mais sábia, com tranquilidade e serenamente, analisa o fato, analisa-se também e, perdoando o outro, mesmo que culpado, vai além e lhe pede desculpas.

O mais ignorante egoísta culpa totalmente o outro, inocenta-se, sente-se injustiçado, sente-se ferido e, naturalmente, passa a detestá-lo e mesmo a agredi-lo.

Qual dos dois está promovendo a felicidade?

Qual deles está servindo a causa do Amor?

Você – desculpe minha intromissão! – faz como o sábio ou como o ignorante?

Guarde para si a resposta.

Que eu cultive sempre a mansidão e a concórdia.

Identificação

Na minha infância, alguém do grupo provocava uma briga entre dois companheiros por riscar na calçada de cimento dois traços a carvão, desafiando: "Este aqui é Fulano, e este aqui é Sicrano; vamos ver quem é mais homem para pisar no outro."

O mais tolo logo tomava a iniciativa, e pisava, e logo o outro, também imbecil, arrepiava-se de vaidade e rancor, largava o braço...

Que estupidez... Brigar com um colega por tolamente se identificar com um risco de carvão no chão, e se sentir na obrigação de se mostrar valente!...

Será que só as crianças chegam a tão lamentável extremo de ignorância, arrogância e vaidade?...

Quantos adultos (?!) andam por aí ferindo e matando, se ferindo e sendo mortos por se identificarem com times de futebol, escolas de samba, partidos políticos, seitas pseudorreligiosas...

Reflita e se analise.

Que Deus me liberte de meus apegos e vaidades.

Sectarismo

Uma das formas indispensáveis de você amar a Deus é reverenciar o Deus que outra pessoa cultua, que é, em essência, o mesmo.

Não amamos a Deus quando detestamos ou perseguimos, desprezamos ou agredimos as pessoas que, em outras formas de religião, cultuam Deus diferente de como o fazemos.

Por ignorância do que seja verdadeiramente religião, seguidores fanáticos de uma seita se atiram contra os de outra, como querendo, pela violência, convertê-los à sua religião, que, em sua opinião estúpida, é a única verdadeira. Eles acham que estão servindo a Deus quando maltratam, perseguem e mesmo eliminam outros que cultuam o mesmo Deus, somente que, para eles, é outro porque tem um nome diferente.

O sectarismo é um flagelo.

Há santos e demônios em todas as religiões.
Sejam glorificados os santos de todas elas.

Autenticidade

É livre alguém que não pode deixar de acompanhar os outros ao curtir as *mesmas* músicas, cultuar os *mesmos* ídolos ou mitos forjados pela propaganda, falar, gesticular e dançar da *mesma* forma como os outros, obedecer à *mesma* moda de vestir, repetir os *mesmos slogans*... viver o *mesmo* modo de vida?

Pode falar em liberdade quem não tem como se negar ao mesmismo dominante, que os manipuladores das massas impõem às mentes imaturas?

Onde está a liberdade de quem virou *robô*?

Que tem de liberdade um jovem que se entregou ao traficante?

A verdadeira liberdade começa por dizer um basta à robotização.

Para você ser livre, tem de começar pela preciosa coragem de ser diferente.

Quero viver sintonizado com Deus. Só assim serei livre.

Objetivos

Não é só preciso que se tenha optado por um objetivo para a vida. É preciso também que ele seja grandioso.

Você já considerou quão preciosa é a oportunidade que está tendo simplesmente por estar vivo?

Enquanto a maioria dedica toda energia, toda capacidade de pensar, todo tempo disponível à procura de ganhar e acumular propriedades, títulos e posições, alguns, por serem verdadeiramente inteligentes e abençoados por Deus, vivem inteiramente devotados ao objetivo mais nobre e grandioso, que é a atualização de suas infinitas potencialidades divinas, que são o Ser-Verdade, a Suprema Bem-aventurança e a Consciência Infinita.

Muitos medíocres chegam a seus objetivos. Tornam-se ricos, poderosos e prestigiados... Mas são felizes? São Livres?

Em realidade, não são iludidos, que apenas supõem ser ricos, supõem ter poder, supõem ser felizes?...

Meu único objetivo é voltar a Teu Reino.

Humildação

Quedas...
Todos nós podemos cair. Chega a ser orgulho tolo sentir-se infalível, à prova de tombos.

Quando um que se supõe infalível escorrega ou tropeça e cai, machuca-se muito mais do que um outro, que humildemente se sente falível.

Perfeccionismo, isto é, a mania de ser perfeito sempre, é uma carga dolorosa. A mania de ser imaculado e modelo de virtudes é uma forma de neurose, que implica tensões desastrosas.

Todo perfeccionista é egocêntrico.

Aos maníacos perfeccionistas, minha sugestão é: passem a viver melhor reduzindo seu ego, isto é, *humildando-se*.

Que alívio toma conta do perfeccionista quando ele consegue se aceitar e largar a sofrida carga imposta pelo orgulho!

É claro que devemos aspirar à santidade e a sanidade, não por nosso vaidoso esforço, mas pela Graça de Deus, que está ao alcance daquele que se humilda.

Senhor, eis-me humildemente pedindo Vossa Perfeição.

Poderes da mente

Ah! Os famosos e desejados poderes da mente!

Cresce o número dos idólatras da mente, daqueles que creem na mente e em seus poderes, acima de tudo.

Conferências, cursos, seminários, livros... estão sendo vendidos e comprados... Aí está o marketing da mente onipotente, fazendo prosélitos e adoradores. A mente é, para muitos, o único Deus a merecer culto.

Você tem certeza de que, tendo desenvolvido sua mente, a usará exclusivamente em proveito da justiça, da paz, do amor e do bem? Sua mente sempre promoverá o *bem*?

O bem de quem? Dos outros ou seu? E, em cada caso ou emergência, você sabe justamente o que é o *bem*? E se você, supondo que está fazendo o *bem*, usar os poderes da mente para fazer exatamente o mal aos outros e a si mesmo?! Um revólver na mão de uma criança o que poderá acarretar?!

Os que andaram desenvolvendo os poderes mentais têm uma responsabilidade muito maior diante da Lei Divina. Cuidado!

Só a Ti pertencem o Reino, o Poder e a Glória.

Idolatria

A idolatria da mente está implantada. Tirou Deus de muitos corações. Cresce a religião da mente.

Seus idólatras acreditam que têm poder para vencer, subir, gozar, tomar, possuir, crescer, curar, submeter, controlar, ganhar, enriquecer, conquistar...

Longe de mim desacreditar nos poderes da mente, mas tenho certeza de que além da mente está Deus, o Onipotente.

Um egoísta consegue desenvolver e manipular os poderes da mente, mas só um renunciante, que se entregou a Deus, pode ver em ação a Sua onipotência.

Os que comungam com Deus, no altar de seus corações, não conquistam nem assumem o Poder Divino, simplesmente se submetem a Ele, dócil e fielmente, e com isso se transformam em duetos da manifestação do Infinito Poder, e, neste caso, todos os poderes da mente lhe estão disponíveis.

Os poderes da mente podem ser canalizados para o mal.

Os poderes de Deus só produzem o bem.

Que derrubemos todos os ídolos que os homens ergueram e restituamos Deus ao templo da alma.

A irmã dor

Perante uma grande crise, um desastre, uma doença, uma calamidade... pessoas de poucas luzes se desesperam, se revoltam e caem em depressão.

Coitadas!

As que já olham o mundo conforme o ensino de suas Igrejas costumam expressar resignação, dizendo: "Seja feita a vontade de Deus."

As pessoas já amadurecidas pela sabedoria, em firme serenidade, se perguntam: "Que andei eu fazendo de errado para merecer isso?"

Tais pessoas sábias não param aí. Diante da dor, se perguntam também: "E agora, que devo fazer para me corrigir e passar a fazer o melhor de mim mesmo para receber a Graça Divina e sair dessa?"

E assim as dores perturbam e vencem os ignorantes; suscitam resignação no homem religioso, e desafiam e inspiram os sábios a avançar mais no caminho da libertação.

Que em cada crise Tua Luz e Teu Poder não me faltem.

Amor

À medida que vamos conseguindo amar os outros, tanto quanto já nos amamos, vamos deixando de sentir dificuldade em sermos bondosos e, simultaneamente, vamos também sentindo ser mais difícil prejudicar e ferir os demais.

Aprender a amar o semelhante é a única solução para esta tão trágica humanidade às vésperas da hecatombe.

Se continuarmos a pensar o bem somente de nós e dos "nossos", a querer e fazer o bem somente para nós e para os "nossos", com exclusão dos outros e até em detrimento dos outros, continuaremos nos condenando à destruição geral, aquela que não queremos para nós e para os "nossos".

Para todos, a solução que resta é amar e servir aos demais como amamos e servimos a nós e aos "nossos".

Que teu Poder e Teu Amor possam se manifestar
em benefício do próximo.

Vulnerabilidade

Os dramas e tragédias, dessas que alcançam a todos, são mais desastrosamente traumatizantes na medida em que gostamos em demasia de nós mesmos.

Quando pensamos assim: "Todos podem sofrer, menos eu; jamais coisas ruins devem me acontecer; logo eu, a pessoa mais importante do mundo, ser vítima de uma desgraça?!..." é porque estamos menos prevenidos e, portanto, mais frágeis para receber as calamidades que andam por aí, acontecendo sem pedir licença.

Nossa vulnerabilidade é maior quando nos imaginamos fora do alcance das adversidades, e protegidos contra a dor, a dor que é para todos.

O que mais nos defende é pensarmos assim: "Mesmo que a dor me alcance, não vai me abalar, não me tirará a paz, nem diminuirá meu amor por Deus."

Sem Ti, Senhor, lucro é perda, gozo é padecimento, ascensão é queda.

A tragédia de ser desonesto

Indivíduos que levam uma vida de falsidade, tirando proveito da hipocrisia, utilizando-se da mentira, aplicando golpes, insistindo em faturar mais, mas naquela base – "Se ninguém vê, se posso esconder e disfarçar, se consigo fraudar, por que ser honesto, cumprir com meu dever? Por que não aproveitar?", se iludem supondo que vivem bem com o produto de seus crimes.

Na verdade, vivem vítimas do medo, castigados pelo estresse, assustados com a possibilidade de virem a ser descobertos e terem de pagar por seus delitos...

Isso é vida? Vale a pena ficar sempre em alerta, sem sossego, esperando o golpe da justiça?

E a dívida que fazem com a lei divina?!!!

É preciso ser muito estúpido para continuar corrupto, farsante, hipócrita, desonesto!

Como é bom poder viver sem ter de me esconder dos outros. Como é bom estar contigo, Senhor!

Inofendibilidade

O melhor meio de que dispomos para nos defendermos de ofensas, insultos, agressões e desrespeitos consiste em nos colocarmos numa altura em que ofensas, insultos, agressões e desrespeitos não nos alcancem.

Os garotos atiram pedras nos frutos da mangueira, mas conseguem atingir somente as mangas dos galhos mais baixos. As lá do alto não são forçadas a cair. Caem por si mesmas, na hora em que a natureza permite.

Acho que podemos concluir que, se nos fazemos inofendíveis, nos tornamos invulneráveis, e se continuarmos ofendíveis, teremos de travar uma incessante batalha defensiva, mas, fatalmente, virão a nos derrubar.

Seu ego é sua parte ofendível. Sua essência divina nada e ninguém conseguem ofender. Desidentifique-se do ego. Identifique-se com a Essência.

Estando em Ti, Senhor, nada e ninguém conseguem me ferir.

Perfeccionismo

Conheço muitas pessoas que chegaram a um nível alarmante de tensão por serem excessivamente exigentes consigo mesmas.

Elas cobram comportamentos, resultados, performances, obras e virtudes que, naturalmente, estão fora de suas possibilidades físicas, psíquicas, financeiras ou sociais, artísticas ou esportivas...

Parece que vivem competindo não só com os outros ("ninguém é melhor nisto do que eu, devo vencer sempre..."), mas também consigo mesmas.

Que tremendo peso carregam às costas os que se sentem na obrigação de serem santos, belos, resistentes, heróicos, brilhantes, vitoriosos, virtuosos, inteligentes, finalmente campeões!...

Como o orgulho está reduzindo pessoas a uma vida árdua e infeliz!

Senhor, não eu, mas somente Tu.

Oração

Houve um tempo em que, ainda jovem, meus colegas e eu depreciávamos a oração.

Para nós, oração era passatempo de mulher velha, sem vigor, sem futuro, sem poder gozar a vida, e com a morte no seu encalço.

Hoje, através de valiosa observação dos fatos, tendo feito experiência, posso afirmar, com a maior convicção, que orar é fonte de alegria, de saúde, de paz, de inteligência. É solução para crises tidas por insolúveis. É captação de energia. É vivência de luz. É vida em plenitude. É vitamina para a mente. É bálsamo para a alma. É terapia sublime.

É orando e vigiando que conseguimos avançar pelo "caminho estreito" que franqueia o desejado Reino de Deus.

É quando oro intensamente que melhor consigo vivenciar-Te, Senhor.

Saber orar

Se eu fosse Deus, seria tentado a receber as orações de certas pessoas mais ou menos assim: "Ih! Lá vem aquele cara que tem vocação para mendigo... É só pedir, pedir... E sempre coisas para ele e para os 'seus'... Sempre coisas materiais e sem valor espiritual!"

Quando você ora, tenta, com suas palavras e argumentos, fazer Deus mudar de ideia, para passar a dar-lhe aquilo que você julga ser bom para você e os "seus"?

Se é assim, mude de técnica e tática.

Nossas lamúrias não vão mudar Deus. Para seu esclarecimento, lhe informo – Deus é imutável.

Ele, imutavelmente, já está dando e sempre deu e dará tudo aquilo que realmente é valioso para nossa vida e felicidade verdadeira.

Ele é todo doação. Nós pedimos o que ainda não aprendemos a captar de seu abundante dar e doar-se.

Nosso egoísmo nos fecha para o fluxo da Graça de Deus, e é por isso que tanto pedimos.

Ajuda-me, Senhor, a poder colher Tua incessante Graça.

Arrependimento

Tenho encontrado muita gente que, vergada sob a dor e convencida de que andou errando, apavorada com a certeza de que está definitivamente perdida, diz mais ou menos assim: "Já fiz tanto mal, já errei tanto que nem coragem tenho de me olhar no espelho e não sei o que é ter paz, nem mesmo me sinto com direito de procurar a ajuda de Deus; não O mereço, e Ele também não quer nada comigo..."

O que sempre digo é que aquilo que nos falta Deus tem em grau infinito – misericórdia.

Aquele que verdadeiramente reconhece que errou, aquele que em verdade se arrependeu, e na base disto decidiu mudar radicalmente seus pensamentos, seus sentimentos, suas aspirações, seus projetos de vida, suas palavras, seus atos, e essencialmente sua meta existencial Deus não só perdoa, mas o recebe, e o recebe com uma grande festa.

Estou arrependido, Senhor. Perdoa-me,
aceita-me, salva-me.

Oração medíocre

Se eu fosse o Senhor, quando um desses religiosos imaturos me procurasse, em oração, para me pedir isso e aquilo, para ele e para os "seus", eu lhe responderia mais ou menos nestes termos: "Está bem. Vou ajudá-lo, mas me diga antes se já tentou trabalhar para o conseguir; e vá me dizendo: a quantas pessoas você andou ajudando hoje?"

Eu também perguntaria: "Essa coisa que me pede realmente é o que lhe convém? Tem certeza de que não está pedindo ingenuamente algo que depois lhe será danoso? Há sabedoria em sua opção?"

Claro que não sou o Senhor, mas, considerando as evidências, isto é, o que se percebe da religiosidade medíocre, Ele tem todo o direito de fazer esses e outros questionamentos semelhantes.

Ajuda-me, Senhor, a merecer-Te.

Tentação

Se você se sente tentado para um vício, ou seja, para iniciar-se em bebidas alcoólicas, jogo de azar, cigarro, tóxico, perversão erótica, roubo e coisas assim, saiba que está numa terrível encruzilhada.

De um lado, o caminho largo da autogratificação, do gozo, da irresponsabilidade, da facilidade inicial... Do outro, o caminho estreito, do autocontrole, da disciplina, da purificação, da elevação, da sublimação...

O caminho largo, efetivamente, é muito mais sedutor. Mas não ceda. Ele conduz às "trevas exteriores, ao choro e ranger de dentes", isto é, à doença, à miséria, à escravidão, à loucura, ao inferno.

O caminho estreito é desafiador, difícil, exigindo esforço e abnegação, sacrifício e retidão. Mas conduz à liberdade, à saúde, à força, à paz, à salvação.

É você quem deve decidir. É você também aquele que vai ser esmagado ou glorificado. Assuma a responsabilidade e, faltando coragem, recorra a Deus. Opte: dor ou felicidade.

Assume, Senhor, minhas opções e fortalece-me para que eu vença e avance pelo estreito caminho da redenção.

Ócio e negócio

As pessoas que fazem de suas vidas uma caça exaustiva ao dinheiro, uma sôfrega batalha por mais adquirir e mais acumular, um agitado e incessante comprar, vender, faturar, dar lances e mais lances em busca de lucros maiores... não conhecem a alegria do viver ameno, gostoso, sereno, saudável e feliz.

É natural que tenhamos todos de desenvolver uma atividade profissional lucrativa, que chamaríamos nosso negócio, e se falharmos nisso, criaremos dificuldades para nossa família e para nossos semelhantes de maneira geral. Se negligenciarmos o negócio e entrarmos em ócio, poderemos perder a própria saúde.

O negócio, no entanto, não deve ser o mais importante e essencial em nossas vidas.

Lado a lado com os negócios, devemos curtir o indispensável ócio.

O ideal é viver entre o ócio e os negócios.

Mantém, Senhor, o ritmo e a harmonia
perfeitos em meu viver.

A meta

Visando defender seu maior patrimônio, a saúde, descubra um motivo muito elevado, muito nobre para nele empenhar sua existência; encontre um grandioso ideal a perseguir; ache uma tarefa importante e mesmo essencial a cumprir; defina um papel sublime a desempenhar no imenso palco da vida; isto lhe aumentará a vitalidade e o poder imunológico. Quem tem algo muito significativo a fazer não se entrega à doença e à morte.

Vive doente e fraco quem não tem o motivo para viver e não se sente atraído para as alturas maiores quem não sente o apelo do mundo transcendente. Não tem resistência nem euforia vital o entediado pela carência de motivação.

Se você ainda não descobriu um objetivo, uma finalidade, uma grandiosa meta para sua existência, deixe-me lembrar mais uma vez – você é um precioso investimento de Deus.

*Sou forte, sadio e feliz porque tenho algo a fazer
ao qual dedico minha vida – fazer render o
investimento que eu sou.*

A verdadeira religião

Se uma religião não insistir em fazer de você um eficiente praticante da compreensão, da concórdia, da misericórdia, da pureza, da renúncia, da beleza, do amor, da compaixão, da verdade... não é religião coisa nenhuma.

A verdadeira religião não tem um nome específico, nem um Deus com um nome especial e exclusivo.

Sua essência consiste em: amar universalmente; perdoar sempre; sempre servir e amparar; renunciar e vencer o fascínio dos sentidos; minimizar a ignorância e o egoísmo; superar o apego, a aversão e o medo; silenciar a mente para que Deus fale; ter Deus como objetivo supremo; orar e vigiar; cumprir de forma perfeita o papel ou tarefa que a Vida reserva a cada um; compadecer-se dos que sofrem; servir sem ideia de recompensa ou mérito... Que é isto senão o que devemos fazer como investimentos de Deus?

Só o Amor a Deus e ao próximo nos liberta.

A bravura da mansidão

Como estão iludidos os que acham que valentes são aqueles que nada temem, e estão prontos a enfrentar qualquer briga, e mesmo provocá-la...

Mas é bom não confundir bravata com bravura.

Os "valentões" quase sempre, inconscientemente, são covardes que, com arruaças e bravatas, conseguem disfarçar a insegurança que lhes tolda a alma. Valentias espetaculares também servem para convencer os "valentões" de que eles não são tão medrosos como suspeitam ser.

O homem realmente corajoso é sereno e pacífico. Aliás, ser corajoso é ser sereno. Quem nada teme e tem segurança de si mesmo não tem por que travestir-se de valente.

Valentia não é topar qualquer briga. Muitas vezes, herói é aquele que, evitando machucar o outro, que o provocou, não aceita a luta, e tem a suprema coragem de se deixar passar por covarde.

A valentia verdadeira está na mansidão.

Minha invencível arma é Tua Paz, Tua Brandura.

Fanatismo

Qualquer que seja o movimento ou instituição a que voce se filiou, seja político, econômico, filosófico, artístico ou religioso, só merecerá sua permanência e lealdade enquanto não pretender transformá-lo num sectário fanático nos moldes dos que dizem "somente nós temos razão; somente nós prestamos; os outros estão errados e merecem desaparecer".

Não aceite tornar-se um robô cheio de ódio e disposto à violência.

Se um movimento ou ideologia apela para a violência, a menor que seja, desde a violência apenas em pensamentos até a física, ela não lhe serve, se é que você se reconhece um investimento de Deus.

Nenhuma ideologia é aceitável, nesta hora da humanidade, se, para triunfar, recorre à violência como um meio. Um meio impuro não pode conduzir a um fim grandioso.

O mundo só precisa é de muito amor.

O mundo precisa de homens lúcidos e livres, e não de fanáticos robotizados.

*Só quando totalmente livre de seitas e
fanatismos posso Te encontrar.*

Paz

Até agora tem sido proposto: "se queres a paz, prepara-te para a guerra".
Que tem resultado? A Paz? Ou guerra sobre guerra?! As inúmeras guerras abomináveis produziram a Paz?!
Ainda há quem confie em tal absurdo, apesar das dolorosas evidências. Eu não.
Será que a paz poderá sobrevir dos arsenais apocalípticos das grandes potências? Ou o que se pode deles esperar é a destruição total?!
Chegou a hora de, em face da evidente frustração do desgaste do slogan, propormos exatamente o oposto: "Se queres a Paz, prepara-te para ela."
A tão desejada Paz só poderá fazer-se quando cada um de nós a tiver instalado dentro do coração.
Vamos criar a Paz em nós para a oferecermos à humanidade, que já está tão frustrada em suas esperanças de Paz?!

Que a Paz tome conta de mim e eu possa
ofertá-la ao mundo.

Lazer

Nossos entretenimentos podem nos relaxar e desfatigar quando forem escolhidos com inteligência. Podem, no entanto, nos agravar a tensão e a fadiga, o tédio e o embrutecimento se consumidos de qualquer maneira, ou quando nem são escolhidos porque impostos pela propaganda e pela moda.

Uma caminhada no campo é muito mais repousante e revitalizante do que uma dessas obras-primas de estupidez, à base de cenas de perversidade e perversão que os cinemas exibem. Um livro que ensine o bem, que ilumine a alma, que nos faça curtir a beleza é muito mais indicado do que uma partida decisiva do campeonato anual.

Essas considerações, naturalmente, se dirigem aos que já se decidiram pela libertação, pela saúde, pela paz, pela alegria autêntica, pela harmonia, pela beleza, pela felicidade, pelo lado luminoso da vida.

Se você ainda preferir a mediocridade do divertimento pelo divertimento, continue, até descobrir, por meio de uma experiência dolorosa, que estou com a razão. Se você é ainda um consumidor e um consumido, vá em frente. Não está mais aqui quem falou.

Que meu lazer seja para sadiamente me distrair, mas nunca para estupidamente me destruir.

Inveja

Evite a inveja.

Invejando, você não conseguirá para si o que o outro tem e você deseja. Mas suas vibrações más, atiradas contra ele, retornarão a você (ação bumerangue), e assim você pode mesmo vir a perder algo que já é seu e de que você gosta. Suas más vibrações de inveja podem, em certos casos, arrancar do outro o que você quer para si, mas, esteja certo, a posse não lhe está assegurada.

A inveja abre o campo de nossa vida a estados ainda mais perturbadores, tais como rancor, abatimento, queda de energia, revolta, tensão... sofrimento, enfim.

E tudo isso acaba, cedo ou tarde, afetando-nos a saúde física e psíquica.

Fique alerta para nunca se entregar à inveja.

Que eu aprenda a ser feliz com a felicidade dos outros.

Contentamento

Sabe, uma das maiores causas de tensão é uma doença que eu denomino "aquisitite", isto é, a ânsia de adquirir mais e mais coisas. É gerada por um microbiozinho que, dentro da mente, vive a exigir "compra mais; compra isto; adquire aquilo: estão te faltando tais e tais coisas; ainda não tens o último *long-play* de Fulaninho; a moda já não é mais esta, é outra; precisas ir ver tal filme; ainda não fumaste o novo king size; todos já têm o novo modelo, menos tu; ainda não provaste o novo sorvete...".

A maior transmissora do micróbio do desejo é a potente máquina da propaganda moderna. O ambiente propício ao desenvolvimento maior do micróbio da "aquisitite" é a sociedade consumista.

Bem, você agora está avisado quanto à "doença". Previna-se.

O remédio mais eficiente para a profilaxia da "aquisitite" é o bendito contentamento. Outro recurso de prevenção é resistir à manipulação da propaganda, e para isso tenha a coragem de ser diferente e indiferente.

Sou rico porque estou contente. Só preciso de
Teu Amor, Senhor.

Repouso

Um remédio excelente contra a moderna epidemia de tensão, fadiga e estresse é o lazer.

Ora, você que trabalha a semana toda e, às vezes, em mais de um emprego, tem o direito e mesmo o dever de descansar.

Descansar nem sempre é somente ficar parado, de "papo pro ar", sem nada fazer, num ócio estagnante.

Podemos repousar muito bem ao fazer algo diferente do que comumente fazemos. O intelectual pode descansar ao trabalhar a terra; um operário de trabalho manual pode descansar com uma boa leitura.

Há horas em que somente o sono nos descansa.

Consumir divertimentos pode nos distrair, sim. Mas também nos trair. É preciso ser muito judicioso na escolha de um entretenimento. Há diversões públicas ou privadas que fatigam, exaurem e até enervam a mente e a moral.

C-u-i-d-a-d-o!

Meu maior repouso está em Teu regaço, Senhor.

Antiamor

Quase todos pensam que o maior inimigo do Amor é o ódio. Na verdade, porém, não é.

O maior adversário do Amor é tudo que, parecendo Amor, imitando Amor, nos engana e se faz passar por Amor.

Apego parece Amor, mas enquanto Amor é fruto da negação de nosso ego, o apego só serve ao ego. Egoísta tem apego, mas é incapaz para o Amor, no entanto supõe que ama aquele ou aquilo a que se apega. O apego, portanto, frustra o Amor.

Prazer sensual e até mesmo prazer simplesmente genital vêm sendo tido por Amor. O erotismo animal que move os indivíduos sensuais engana os medíocres que o chamam de Amor. E assim inviabilizam o Amor, pois o Amor liberta, enquanto que a paixão bestial escraviza.

Certas relações afetivas entre indivíduos de sexos diferentes se aproximam do Amor, mas para que a Ele cheguem precisam se libertar da impureza do egoísmo, que leva à exploração do outro.

O Amor independe do componente sexual. Amor filial, Amor maternal ou paternal, Amor fraternal, Amor ao belo, Amor ao Bem, Amor à Verdade, Amor a Deus nada têm de sexo.

Aprender a amar, isto é, amar o Amor,
é o que me levará a Teu Reino.

Pré-ocupação

Preocupação... Uma tremenda fonte de sofrimento.

Quando você está *pré-ocupado* com algo ameaçador, está sofrendo. Mas pode estar sofrendo "de graça", isto é, o esperado fato desagradável pode não ocorrer. Se não acontecer, para que serviu ocupar-se previamente com ele, senão para fazê-lo padecer, para frustrar sua alegria?

Sugiro que, prudentemente, guarde suas energias e seus talentos, a fim de eficientemente poder enfrentar o problema no momento em que ele eclodir. Não fique se desgastando e se desgostando antecipadamente.

Se assim fizer, virá a ter melhores condições de serenidade, lucidez, intuição e força para melhor performance, para mais eficiente solução e providência.

Que você não me interprete mal e pense que estou sugerindo imprevidência ou imprudência. Treine estar alerta no agora, e quando chegar o futuro "agora", você saberá se comportar.

Deus proverá, na hora certa, da forma mais sábia e eficaz. Estou sempre alerta e sempre com Ele.

Bem-aventurança

Quem não procura ser feliz?
Todos. Não é?
Saiba que a conjugação de dois fatores nos cria a felicidade:
(1) nós mesmos
(2) e Deus.
Cabe a nós agir, falar, desejar, imaginar e sentir com desprendimento, sem cobrar recompensas.
A Deus cabe cumprir sua Lei, que nos propiciará os bons resultados pelo bem que andamos praticando, falando, desejando, imaginando, sentindo...
Não peça a Deus que o faça feliz.
Viva corretamente, e receba o que Ele nunca deixou de nos dar – a Felicidade.

Que eu possa eu viver feliz, isto é, viver em Ti.

Autoanálise

Para melhorar a sociedade – algo que todos desejamos! –, o método mais sábio e eficaz é começarmos a melhorar por nós mesmos.

É essencial que comecemos a assumir a coragem de nos pesquisar, usando a mesma lente com a qual analisamos os demais.

Só conseguimos ver hipocrisia, ambição, incorreção, fraqueza, feiura, covardia, maldade, egoísmo, vaidade... nos outros, sempre nos outros. Facilmente lançamos sobre os outros a culpa de todas as crises, de todas as calamidades e injustiças dessa grande devastação... que está assolando a sociedade e o planeta.

É cômodo e fácil culpar os demais. O difícil é exatamente o que pode melhorar tudo – conhecer-nos fria e objetivamente, para, depois, com a ajuda de Deus, oferecermos ao mundo mais um ser humano correto, que tanto "falta na praça".

Ensina-me, Senhor, a conhecer-me.

Amizade

A concórdia, a harmonia, a amizade e a paz são tesouros que não podemos perder.

Que faria você se uma rajada de vento lhe arrancasse das mãos um cheque de grande valor?

Sairia correndo atrás. Se ele enganchasse num galho de árvore, você subiria até lá para alcançá-lo; finalmente, faria todo o possível para reavê-lo. Não é?

É exatamente isso que temos de fazer quando uma discórdia, um desentendimento, uma desarmonia, um conflito nos atira um contra o outro e ameaça uma velha amizade que tem se evidenciado preciosa.

Trate de conservar as boas amizades. Mantenha a concórdia. Quando o cheque de grande valor de uma amizade escapar, vá atrás, procure recompor as boas relações.

Para isso é que existe o pedir desculpas e propor reconciliação.

Mas se certifique de que é uma amizade preciosa.

Meu amigo é Deus junto de mim.

Equanimidade

Você é desses que se desesperam desastrosamente quando as coisas correm contrariamente a seus desejos e interesses? É?

Quem facilmente se irrita com uma adversidade também facilmente exulta quando consegue o que deseja.

Tomara que você não seja assim!

São os egoístas e ignorantes que explodem repentinamente, seja exultando quando seus desejos são atendidos, seja se irando quando não.

Se você é assim, comece a mudar.

Emoções extremadas, que se sucedem ao sabor dos acontecimentos, que não conseguimos controlar, desequilibram a saúde física e mental.

Se você não tomar cuidado, vira folha ao vento. Numa hora sopra o vento da alegria excessiva, noutra, o da depressão.

Senhor, dá-nos a Paz que Tu és.

Brandura

Um homem feliz e sereno não agride ninguém.

Só o homem inferior, instintivo, primitivo e frustrado, só o homem que não tem a coragem de ser brando e bondoso recorre à violência, responde com violência, se defende com violência.

A violência nasce da fraqueza e da infelicidade.

A Não Violência, ou o Amor, nasce da verdadeira fortaleza e da felicidade verdadeira, que moram no bondoso coração do homem sábio.

Minha felicidade está em fazer e querer o bem.

Mansidão

A violência das pessoas é do tamanho de seu egoísmo.

São violentas as pessoas que se amam acima de todas as coisas, e mesmo acima de Deus.

O egoísta fere e rouba para seu proveito próprio.

O egoísta – que "não leva desaforo pra casa" – está sempre armado, engatilhado para se lançar furiosamente contra aquele a quem julga como um obstáculo ou ameaça à sua pessoa.

Egoísmo é doença.

Violência é doença.

Cura-nos, Senhor.

Não violência

Não adianta esperar que os donos do poder – seja do poder político, seja do poder econômico – se empenhem numa "campanha *contra* a violência", atinjam seus objetivos desejáveis: reduzir a violência na sociedade.

As campanhas *contra* a violência só alcançarão seus dignos objetivos quando forem administradas ou conduzidas por pessoas que, *dentro de si mesmas,* já tenham conseguido alcançar esta maravilha que é a Não Violência.

Que tal meu "Convite à Não Violência"?!

Apaga em mim meu Deus, qualquer violência.

Autoabrandamento

Estamos todos apreensivos com a violência sob todos seus aspectos: desde os mais terríveis, como assassinatos bárbaros, atos de terrorismo, até o pensamento agressivo sobre aquele que nos ofendeu ou incomoda.

Você já notou que cada pessoa se sente sempre vítima da violência dos outros, mas raríssimas já têm a sabedoria de se analisar assim: "Será que eu também não sou violento?"

Convido você a estudar-se, a analisar-se honestamente.

"Serei eu também uma pessoa violenta entre tantas outras?!"

Que eu seja um pacificador.

Não violência

Se realmente desejamos que a violência diminua, se verdadeiramente ansiamos pela concórdia e pela paz, devemos agir diferente do que têm os homens feito até agora.

Como têm agido?

Assim: "Tenho de combater a violência dos outros, e, para acabar com a violência (dos outros!...), devo usar minha própria violência."

Pensam assim: "Que bandido que ele é... Só matando!..."

Como a violência poderá ter fim se, com violência, tentamos destruir o outro que julgamos violento?!

Que eu jamais pense ou fale mal de alguém.

Os pacificadores

A única maneira de reduzirmos a violência no mundo é controlando a nossa própria violência.

É oferecendo ao mundo um violento a menos, ou melhor, uma pessoa serena, amorosa, caridosa a mais.

A contraviolência acende a violência.

A vingança gera outra vingança.

Uma agressão contra um agressor aumenta a agressão no mundo.

"Bem-aventurados os pacificadores", isto é, aqueles que oferecem a paz, que promovem a paz.

Que meu coração sempre emita Amor.

Mansidão

O homem ignorante elogia como valente aquele que responde com ódio ao ódio, com ira à ira, com golpe ao golpe, naquela base de "olho por olho, dente por dente".

O ignorante não consegue ver a valentia de Jesus quando na cruz; não vê a coragem de Gandhi recusando-se a usar a força das armas, mas respondendo à agressão com amor e perdão.

É muito mais admirável a bravura da mansidão do que a aparente valentia do violento.

Ensina-me, Senhor, o imenso heroísmo de ser brando.

Antissolidão

Você chora sua solidão.
Os médicos estão alertando: "Solidão mata mesmo!"
Realmente há inúmeras doenças mortais que a solidão pode provocar.
Você quer evitar ou curar a doença da solidão?
Vou lhe dar o segredo: cultive o amor.
Ajude outras pessoas.
Você nunca se sentirá solitário se, renunciando a seu conforto, seu prazer e seu lazer, se tornar solidário com os outros.
Quem é solidário – fazendo o bem – nunca chegará a ser solitário.
Pronto.
Fácil, não é?

A solidariedade é o antídoto para a solidão.

Ser

Para a solução de seus problemas, as pessoas comuns contam com recursos (dinheiro, prestígio, posição social...) que lhe são externos.

Em alguns casos, o que elas *possuem* ou conseguem *fazer* oferece algum alívio e mesmo alguma vitória. E assim, passam a confiar mais no que *têm* e no que *realizam*.

Nem sempre, porém, a solução está ao alcance de tais recursos e processos materiais.

Os problemas maiores reclamam a vitória decisiva e total, e essa vitória não se alcança com o *ter* e o *fazer*, mas somente com o ser.

Primeiro o Reino de Deus, e o resto virá por acréscimo.

O poder do ser

Há problemas e padecimentos que não têm solução em dinheiro ou prestígio social, nem mesmo naquilo que conseguimos realizar pessoalmente ou através de amigos.

Sabe por quê?

Porque o poder do dinheiro e de todas as nossas melhores providências é limitado.

Só há um poder para o qual não existe limites – é o poder de Deus.

Se cuidarmos de nosso ser (reduzindo o egoísmo) e nos ligamos a Deus, que é o Ser Supremo, nossa vitória será certa em todo e qualquer sofrimento ou perigo.

Só o Teu Ser e o Teu Poder. Tudo o mais é acréscimo.

Refúgio

Só Deus tem poder de nos elevar acima das tempestades da vida.

Quando nos reduzimos a nossos recursos e poderes pessoais, vivemos na ilusão de sermos felizes, de não precisarmos de Deus.

Antes que você venha a padecer uma esmagadora desilusão, comece a olhar para o dinheiro e para sua posição social como engodos, que não resistem ao tempo e aos temporais maiores da existência.

Só Deus é refúgio e poder para nós.

Só Tu, Senhor, és Vitória.

O altar

Já que eu tenho tanto falado em Deus, como a fazer propaganda Dele, você tem o direito de perguntar: "E onde Ele se encontra?"

A resposta é:

"Ele está dentro de você mesmo, pois Ele é a sua própria essência."

Procure Deus dentro de você, e não fora.

Seu altar é seu coração.

Acredite.

Não se volte para Deus além das nuvens.

Ele está mais perto de você do que sua própria pele.

Perdoa, meu Deus, o tempo em que Te busquei
fora de mim, num ignoto céu distante.

Solução

Quando você se sentir ameaçado por alguma coisa, alguma situação, alguma previsão desagradável, não faça como a maioria, que começa a sofrer de graça, isto é, muito antes que o problema se apresente.

Aguarde, com serenidade e confiança, os momentos que vierem, mas tendo na mente a segurança de sua vitória, e mesmo a certeza de que é invencível.

Para isso, no entanto, é indispensável que tenha certeza de que Deus, que está em seu coração, e que tudo sabe e tudo pode, vai lhe dar a melhor solução, mesmo que nem sempre corresponda àquela que você desejou.

Na serenidade é que posso estar com Deus a ajudar-me.

Vitória verdadeira

Se você é daqueles que conseguem subir exatamente porque arrasta para baixo os outros que competem ou que lhe estão à frente, mude. Mas mude, mesmo.

Não pode haver vitória definitiva assim.

Ninguém atinge o melhor por empurrar o pior para os outros.

Não se iluda com aparentes vitórias iniciais.

O tempo vai lhe mostrar o quanto se iludiu, e sua frustração virá agravada com um tremendo remorso.

Tudo quanto fizer por si mesmo nunca deverá ser manchado com o prejuízo e as perdas que provocou aos demais.

Fazei aos outros aquilo que desejais que façam a vós.

Bom dia

Nosso dia deveria começar com um pensamento mais ou menos assim:

"Graças a Deus estou vivo, e assim tenho como fazer algo em proveito de hoje ser um dia mais feliz, melhor aproveitado e honrado."

Durante o correr das horas, deveríamos ficar vigilantes para que em momento algum pensássemos, disséssemos, desejássemos algo que ferisse ou prejudicasse alguém, e que nos criasse dívidas a pagar diante do supremo tribunal da vida.

Seria bom que, ao correr das horas, não desperdiçássemos as oportunidades que nos fossem oferecidas para servir, amar e aumentar nosso conhecimento.

Quem pode ser feliz se não está com Deus
todos os minutos?

Anti-inveja

É nosso ego que nos faz invejosos, que nos faz mesquinhos, sofrendo, diante da vitória, das alegrias, das promoções, da prosperidade do outro.

Inveja é uma estupidez que dói, que destrói, que reduz nossas energias, que perturba nossas emoções, que nos adoece e nos abala, que nos impede de avançar rumo à Luz, à Paz, ao Bem, ao Poder, à Perfeição...

Poderíamos ser gigantes se aprendêssemos a festejar juntos o bom êxito do outro. Mas nosso ego nos inferioriza quando invejamos.

Inveja, fruto amargo do "eu".

Ambição

A ambição é uma espécie de doença, e doença crônica. O ambicioso hoje quer alcançar determinada posição na sociedade (na política, na administração, na empresa...) e não pensa em outra coisa, não deseja outra coisa, não repousa, não se aquieta, não vive a não ser para isso.

Se não conseguir, vem a decepção, que se prolonga em depressão, que degenera em doença.

Se consegue, nem demora um dia, já se larga noutra luta por querer sempre mais, mais, mais...

E a felicidade?!

A felicidade se torna impossível. O ego é o micróbio dessa enfermidade chamada ambição.

Vencido o "eu", acaba o tormento da ambição.

Ciúme

Outra doença terrível, destruidora e trágica é o ciúme.
Há quem confunda ciúme com amor.
Mas não é MESMO!
Ciúme é outro sintoma do ego.
O ciumento é um egoísta que está, inclusive, incapacitado para amar.
Ciúme é insegurança, incerteza e mesmo ausência de amor.
Quem ama *mesmo* se dá de todo, sem cobrar do outro, sem pretender tornar o outro uma coisa possuída.
O ciumento diz, dentro de si: "Você é propriedade minha e não merece um pingo de minha confiança e respeito; você é uma coisa exclusivamente para meu uso."

Ciúme – assassino do amor. Ciúme – criação do "eu".

Egocídio

Ambição, arrogância, ressentimento, ciúme... e muitas outras formas de comportamento perturbador e doloroso são frutos de uma mesma árvore.

O nome dela é eu.

A árvore do egoísmo é a árvore daninha cuja sombra perversa escurece o horizonte de nossas vidas.

Quando conseguimos reduzir em nós mesmos o egoísmo, de uma só vez, se liberta dos sofrimentos terríveis da ambição, da arrogância, do ressentimento e do ciúme.

Vale a pena eliminar o egoísmo.

Que suma o "eu". Que Deus ocupe todo o espaço.

Não violência

Ao lado de todas as inteligentes medidas políticas, econômicas, policiais para a redução da violência, devemos cultivar *individualmente* a Não Violência.

Digamos que um de nós seja um policial que deve cumprir medidas indicadas contra a violência.

Chegaremos a algum resultado se no desempenho da missão, sem que o saibamos, nós ainda somos violentos?!

Uma autoridade violenta não conseguirá reduzir a violência dos outros, mesmo que fazendo uma tentativa bem-intencionada.

Que o Amor domine todas as almas.

Ambição

Um empresário desumano, que força o aumento do custo de vida a fim de obter maior lucro, que, para ganhar mais, paga mal a seus empregados e usa meios e materiais impróprios à saúde dos consumidores... que às vezes tem de gastar muito dinheiro para pagar "seguranças" para proteger seus apartamentos ou casas de luxo... pode estar empenhado numa "campanha *contra* a violência"...?

Não será ele violento, responsável pela violência?!

Que os homens aprendam o Amor.

Corrupção

A violência do assaltante que tanto assusta todo mundo pode estar assustando também um administrador corrupto, que, para aumentar seu patrimônio, está tirando proveito de contratos, de manobras, de golpes...

Ele não percebe que esta é a forma mais terrível de violência.

É essa violência "engravatada" que provoca a violência das ruas.

Há poucas pessoas que podem dizer que não têm contribuído, mesmo que de forma sutil e desavisada, para provocar a revolta dos desgraçados.

O Amor é que pode salvar a todos.

Equanimidade

Se você é desses que dizem com muito empenho "adoro isso", "detesto aquilo", acautele-se.

Não poderá ter sempre aquilo de que muito gosta. E isso lhe traz sofrimento. Desejo insatisfeito é sofrimento. Apego frustrado é sofrimento.

Nem sempre você conseguirá afastar aquilo que detesta. E isso lhe faz sofrer. Suportar uma presença incômoda, que lhe é irremediavelmente imposta, é sofrimento.

Não será por isso que você não consegue ser feliz, e anda inquieto e irritado?

Não será hora de mudar e passar a cultivar a meiga equanimidade? Ser equânime é ser forte e imperturbável.

Reduza seus "adoro" e seus "detesto" para poder viver melhor. Mas não se esqueça: só se consegue ser equânime na medida em que se minimiza o egocentrismo, isto é, na medida em que nos humildamos.

*A paz se encontra num nível onde
não reinam os opostos.*

Administração dos talentos

Cuide de administrar bem seus membros, seus músculos, sua capacidade de ação.

Deus, confiando em você, lhe emprestou tudo isso, e também lhe concedeu a liberdade de escolher o que fazer com essa possibilidade de construir ou destruir.

Seu caso é ser preguiçoso, inerte, improdutivo, incapaz?...

Você está criando algo, mas algo que seja bom para todos?

Ou você, ao contrário, está levando aos outros sofrimento e destruição, incerteza e irritação?

Como está sendo sua administração sobre esse talento, que é a capacidade de se mover e de mover as coisas?

Desejo sinceramente que, se você estiver empregando mal tão precioso talento, arrependa-se e mude; mas, se estiver sendo justo e generoso, prossiga.

Desejo que venha a colher as boas consequências que a Lei Divina reserva aos "servidores bons e fiéis".

Que meu agir seja para Te servir e ajudar
a implantação de Teu Reino.

Autoconhecimento

Quase todos nós estamos insatisfeitos e apreensivos com a barbaridade generalizada que está ameaçando de ruína total a vida em sociedade. Aí estão o terrorista, o corrupto, o traficante, o belicista... Aí estão os massacres, os atentados, os assaltos, os escândalos...

Quase todos aspiramos por uma solução. Queremos arranjar as mentes e as coisas, a fim de que sejam implantadas a segurança, a justiça, a tranquilidade, a harmonia, a concórdia, a gentileza nas relações entre homens e nações.

Pouquíssimas pessoas, no entanto, estão acertando na maneira perfeita de chegar a isso.

Sabe por quê?

Porque cada um só consegue assinalar o erro, o delito, a falha *dos outros*, e, consequentemente, pretende que apenas *os outros* se corrijam.

Por que não começar por nós mesmos?!

Retira, Senhor, de meu olho a trave que
não permite que eu me conheça.

Oração-súplica

Pediram-me que eu ensinasse a orar. O Grande Mestre da oração é Jesus. Ele ensina. Veja os Evangelhos.

O que eu poderia sugerir é que tomemos cuidado com o conteúdo de nossas orações.

A maioria só sabe orar para pedir; geralmente pedir coisas de interesse pessoal, coisas que, trabalhando, se consegue.

Há até quem peça a Deus que não permita que o fiscal descubra suas falcatruas. Chegam a pedir que o mal alcance alguém... Pedem o campeonato para seu time... Quanta ignorância!

Que é bom pedir, na oração?

Devemos pedir que nossa fé, nossa coragem, nosso amor, nossa capacidade de servir e de renunciar sejam aumentados. Devemos pedir paciência e capacidade de perdoar. Não devemos pedir nada para nós, a não ser que nos tornemos menos egoístas, portanto melhores devotos e seguidores de Cristo.

O que Te peço, meu Deus, é Teu Reino, Tua Presença.

Doação

Com uma única vela acesa podemos acender inúmeras outras, iluminando-as, sem que a sua luz venha a se reduzir. Uma vela, acendendo outra, nada perde, mas como beneficia!

Com a nossa alegria, podemos acender a alegria em muitos corações, e isto não nos custa nada.

Com a nossa energia espiritual, podemos suscitar a energia de um número incontável de pessoas, e isso não nos empobrece.

Com a nossa paz, podemos induzir à paz muitas almas até então aflitas.

Com a nossa coragem, podemos aquecer aqueles que se enregelavam nas masmorras do medo.

Com a nossa fé, podemos comunicar fé aos desalentados nas sombras da dúvida e do desalento.

Tudo isso não é o bastante para que passemos a, desde agora, cultivar mais luz, alegria, energia, paz, coragem e fé?

Vê como é possível cada um de nós melhorar a sociedade?!

Vivifica-nos, Senhor, com Teu Espírito.

Ocupação

Pré-ocupar-se é ocupar-se com o que ainda poderá vir.
Pós-ocupar-se é o ocupar-se com o que já passou; já era.
Pré-ocupar-se alguns ainda aceitam, pois tem alguma semelhança com previdência, com prudência...
Mas para que serve pós-ocupação, senão para nos fazer *re-sofrer*? O hábito daninho de re-memorar, re-padecer, re-chorar, re-lamentar... fatos desagradáveis ao nosso ego ressentido, maltrataram, ontem, no ano passado, naquele ano que Fulano morreu... Apenas nos maltrata.
Pós-ocupar-se é morbidez, isto é, sofrimento. É ficar por baixo, afundar... É um hábito morbígeno, isto é, gera enfermidade.
Não perca seu tempo, seus pensamentos, sentimentos e energias com o que já passou. Assim você terá seus olhos fechados para as maravilhas que Deus opera em você, fora de você, em toda parte, agora.
Evite *pré* e *pós* ocupar-se. O futuro ainda virá. O passado morreu. Por que não viver em profundidade o agora? Por que não aprender o eficiente e libertador *ocupar-se*? Aqui. Agora.

Que eu possa curtir Tua radiante Presença em mim,
em todos, aqui e agora.

Serenidade

Como você se comporta quando lhe dão uma notícia ruim?

O normal, isto é, o caso mais frequente, é cair em estado de choque, quando todo o corpo se agita, em tremores, suores frios, taquicardia, paralisia nos membros, respiração tempestuosa, um frio na boca do estômago.

Não se consegue nada ao tentar dizer ao corpo que não fique assim. Resistir não é o caso...

É possível, no entanto, reduzir muito as dimensões de tal alarme psicossomático.

De que forma?

Aprendendo a "dar o desconto" em tais notícias, não permitindo que consigam ser alarmantes. Para tanto, devemos aprender a avaliá-las menos dramaticamente, afastando toda tendência à autopiedade, reduzindo os apegos, lembrando que nada no mundo tem perenidade, e, sem dúvida, minimizando a ilusão de que somos inatingíveis, mas principalmente cultivando uma serena atitude psicológica de que ninguém e nada efetivamente conseguem atingir Aquilo que nós realmente somos – uma centelha divina.

Só há uma calamidade: estar alienado de Ti,
meu Senhor.

Falsos profetas

A cada instante você e todos nós somos levados a fazer opções.
 Fazer uma opção reclama prudência na consideração das previsíveis consequências prováveis.
 Uma opção malconduzida pode arruinar uma vida inteira, dependendo da importância da matéria em consideração. As opções mais sérias, sem dúvida, são aquelas que envolvem assuntos espirituais.
 Em nossas opções, jamais deveríamos nos deixar seduzir por propostas e promessas de vantagens maiores por preços menores.
 O que se compra a preço baixo nunca é a joia verdadeira, mas sempre sua imitação.
 Se isso é verdade quanto a objetos materiais, muito mais o é quando se trata de assuntos espirituais. Nunca se deixe seduzir por promessas de iluminação ou consciência cósmica, que seriam rápida e facilmente obtidas por meios impuros, fáceis, gostosos, sem dignidade, sem sacrifício. É sempre assim, com falácias, que os "falsos profetas" atraem os fracos e ignorantes, os egoístas e aventureiros, levando-os ao fanatismo e depois à frustração.

Conduz-me, Senhor.

Autoconhecimento

Em sua próxima crise de relacionamento com alguém, fique alerta contra a tendência infantil de imediatamente inculpar, criticar, acusar o outro, ao mesmo tempo que se inocenta e se faz de vítima.

Aprenda a colocar-se mentalmente na posição dele, e procure descobrir *onde, quando* e *como* você andou errando, praticando o que pode ter desencadeado o desentendimento.

A atitude de julgar-se sempre certo, de sentir-se sempre a vítima, de sentir-se ofendido injustamente... é um sintoma de imaturidade espiritual e, finalmente, de egoísmo.

É sinal de elevação espiritual admitir a hipótese de que nós mesmos desencadeamos a situação desagradável.

Desejando não ser mal-interpretado, lembro que também se cuide para não cair no extremo oposto, o de sempre se sentir culpado.

Aliás, o ideal não é achar um culpado, mas descobrir o caminho certo para solucionar a crise.

Que eu possa conhecer onde, como e quando
errei para corrigir-me.

Autopiedade

Autopiedade – eis uma grande fonte de sofrimento e fraqueza!

Ter compaixão pelo sofrimento alheio nos torna mais caridosos, mais irmãos, mais próximos, mais unificados. Isto é bom. Não somente bom, mas é também uma condição indispensável para vencermos nosso grande adversário, isto é, nosso ego.

Quando alguém padece (*passione*) e *com* ele padecemos, então somos *com-passivos*, temos *com-paixão*. Este é o fundamento da misericórdia. É um sentimento sublime, santo e santificante.

Mas, quando, por imaturidade, cultivamos compaixão a nós mesmos, cometemos um dos maiores erros que podem ser cometidos por um ser humano, pois imediatamente baixamos o nível de nossa energia, e caímos doentes, e nos tornamos psiquicamente deprimidos.

Fique alerta para evitar qualquer tendência a ter "peninha" de si mesmo, pois isso vai se enfraquecer, entristecer, empobrecer, deprimir e adoecer.

Não permita que alguém tenha pena de você, e que esse alguém nunca seja você mesmo. Então é o pior de tudo...

Livra-me, Senhor, da autopiedade.

Tranquilidade

A expressão popular "não esquenta" é uma proposta de grande sabedoria.

Esquentar a cabeça, diante de uma situação desafiadora, faz bloquear o fluxo da intuição que nos possibilitaria uma providência eficiente. Então, a gente sente o que não deveria sentir, diz o que não deveria dizer, faz o que não deveria fazer e ao mesmo tempo não sente, não fala e não age como a prudência exigiria.

Esquentando, adeus controle; adeus solução adequada.

Não esquentando, nos conservamos serenos, lúcidos, controlados, donos de nós mesmos e da situação. Então, o que sentimos, dizemos e fazemos é ótimo, em quantidade, em qualidade e em direção.

Cabeça quente gera mais problema.
Cabeça fria cria a solução perfeita.
Cabeça fria é boa conselheira.

Apazigua-nos, Senhor, com Teu Espírito.

Psicocibernética

Aprenda a manter o controle sobre o importantíssimo talento que é sua imaginação, isto é, sua capacidade de formar imagens mentais.

Conforme as imagens predominantes em sua mente, principalmente as relacionadas com você mesmo, você será sadio ou doente, forte ou frágil, vitorioso ou derrotado, feliz ou desgraçado.

Uma ciência chamada *psicocibernética* afirma que a imagem que você faz de si mesmo vem, inevitavelmente, a materializar-se. Se faz um autorretrato negativo, a negatividade tomará conta de sua vida. Se, ao contrário, o autorretrato é positivo, você será positivo em todos os aspectos e níveis de seu ser.

Faça uma experiência: embora a situação objetiva seja desfavorável, faça mentalmente um retrato de você sadio, jovem, enérgico, simpático, forte, vitorioso, alegre. Firme-se nisso. Mantenha insistentemente tal retrato. Quanto mais nítida e detalhada for a imagem que formar, mais eficientemente você colherá os bons resultados. Não duvide. Isso é ciência.

Sou invencível e perfeito porque Eu Sou como Tu.

Fé

Geralmente se pensa que ter fé é somente acreditar. Ora, acreditar em Deus faz parte da fé, mas é apenas uma parte.

Fé é sinônimo de fidelidade. Fidelidade é ser fiel permanentemente, é cumprir o que Deus ensinou por intermédio de Seus avatares (manifestações divinas), de Seus emissários e dos mestres maiores da humanidade. Viver ligado e obediente a Deus é ter fé.

Crer pode ser tão somente uma adesão intelectual a uma entidade divina, mas pode ser também a convicção, digamos, na eficiência de um medicamento. Crença pode ser uma atitude psicológica sem continuidade. Fidelidade é um comportamento e um comprometimento que dura, que, para ser eficiente, não vacila nem relaxa.

Crença é algo que pode se iniciar de imediato, mas somente no plano da mente. Fé é um processo continuado e progressivo que envolve o plano total da vida. Fé é uma conquista por meio de um caminhar evolutivo e sacrificial, que nos impõe disciplina, renúncia, obediência, austeridade.

Crença é "theoria". Fé é "práxis".

O que Te peço, Senhor, é que minha fé nunca
se reduza e sempre se aperfeiçoe.

Arrependimento

Você caiu ou errou, recuou ou se desviou... e agora está arrependido e sofrendo? Levante sua cabeça. Erga-se!

Como?

Se não sente forças suficientes, não desanime. Não fique no chão, carpindo seus erros. Conte com a Misericórdia e o Poder de Deus.

Embora difícil de entender, e portanto de acreditar, Deus está agora mesmo estendendo Sua mão salvadora a todos que caíram, erraram, recuaram ou se desviaram.

A todos, sim. A todos que já tomaram consciência da queda, do erro, do recuo ou do desvio, e que já se sentem arrependidos de verdade, portanto dispostos a sincera e definitivamente se recuperarem, se regenerarem, se voltarem para o alto, para a retidão, para a frente, para o caminho de Deus.

Deus não deixa no chão aquele que pecou, mas que, arrependido, pede Seu misericordioso perdão, anseia por Sua mão salvadora.

O céu dá uma festa recepcionando
aquele que se arrependeu.

Tensão

Você já se deu conta de como reagem brusca e, portanto, desastrosamente as pessoas que vivem tensas, como que engatilhadas, isto é, prontas para disparar?

Coitadas! Como sofrem! Como fazem sofrer!

Gastam-se, fatigam-se, irritam-se, agitam-se, adoecem de tanto esforço inútil, de tanto lutar, de tanto estresse. Vivem extenuadas.

Coitadas das pessoas infelizes que com elas convivem. A toda hora, pelos motivos mais insignificantes, recebem estilhaços das explosões nervosas de quem perdeu o controle e a paz.

Não é hora de você evitar tais sofrimentos mútuos?

Como?

Pratique relaxes diários; ore; medite. Acima de tudo, reduza a ofendibilidade. Quando a cabeça começar a esquentar, pare, esfrie, desengatilhe, relaxe. Não se ofenda facilmente. Isso revela um acentuado grau de egoísmo.

Que eu possa depositar minha vida em Teus
protetores braços cósmicos.

Tranquilidade

Há um salmo de Davi que relembro sempre às pessoas que me procuram fervendo de aflição e ansiedade, a se debaterem em crises nervosas e dramáticas esmagadas pelo medo e pela apreensão: "Aquietai-vos e sabei que EU SOU DEUS."

Enquanto nos revolvemos agitados nas ondas da aflição, Deus, sendo Onipresente, não O percebemos; sendo Eloquente, não O escutamos; sendo Luz, estamos cegos para vê-Lo; sendo Misericordioso, continuamos na miséria; sendo Amparo, nos deixamos no chão... Ele está dentro de nós, mas, enquanto inquietos, até negamos que exista.

Aprendamos a conceder uma brecha por onde Deus penetre em nosso mundo, e sendo Ele Providência, nos salvará. Aprendamos a cultivar a tranquilidade, aconteça o que acontecer, qualquer que seja o problema, a tragédia, a perda ou a dor.

Dá-me, Senhor, a serenidade que me permitirá
ouvir-Te dizer EU SOU.

Perda

Tomara que você não seja daqueles (coitados!) que, quando perdem algo (ônibus, um cheque, uma amizade, a confiança de alguém...), se descontrolam, se desesperam, se consomem, se agitam, se afundam em profunda tristeza.

Se tais comportamentos e atitudes psicológicas remediassem em alguma forma ou medida o desastre, o prejuízo... "vá lá". Mas não. Só atrapalham e tumultuam, só agravam a crise, só aprofundam o sofrimento. Não é?

Entre sofrer o prejuízo de uma determinada coisa ou perder mais de uma, que prefere você? Uma só? Não?

Quando vier novamente a perder uma coisa, seja ela qual for, deixe que somente ela se vá. Proteja-se contra o descontrole, contra o desespero, contra a revolta, contra o medo...

Tudo pode se perder, menos nossa ligação ao Senhor.

Senhor, Tu me emprestaste o que suponho ter. Quando quiseres, podes levar tudo. Só não quero perder-Te.

Des-ilusão

Gostamos tanto de todas as formas de ilusão que, quando constatamos que alguém nos traiu a confiança, abusou de nossa amizade, frustrou nossas expectativas, imediatamente nos entregamos à dor, à indignação... Não tem sido assim?

Frequentemente alguém me diz: "Esta desilusão acabou comigo!" Tenho assistido a muitos indivíduos em depressão porque um parente, um amigo, um ídolo, um mito, uma doutrina... se revelaram não ser aquilo que tão gostosamente tais pessoas acreditavam ser.

A melhor terapêutica que conheço é fazer o sofredor reconhecer que sua dor é proporcional à sua imatura atitude de gozar uma ilusão. Digo-lhe: "Se você está sofrendo porque foi desiludido é porque estava gostando de ser iludido."

A desilusão tem um grande valor positivo.

Qual é?

O valor de nos libertarmos de uma fantasia gostosa que nos retinha, atrasava ou desviava do libertador caminho à verdade. Cada desilusão significa menos uma quimera a nos seduzir.

*Bendita a desilusão que me desembaraça para
continuar indo para Tua Casa.*

Tensão

Quando estiver dirigindo seu carro, observe se suas mãos não estão como que esganando o volante; repare se, quando sentado, um de seus pés está chutando o vazio; note se, ao comer, mastiga sofregamente, como que devorando o alimento, engolindo-o inteiro, como se temesse que a comida fugisse do prato...

Isso é tensão.

Tensão é uma doença, e gera ou agrava outras doenças. Tensão extenua a energia...

A primeira condição para se libertar da tensão é exatamente esse observar-se, para identificar a necessidade de afrouxar-se, de praticar relaxes, de "fazer por menos" seus problemas, suas apreensões, suas ansiedades, seus desejos, seus apegos, suas aversões, seus medos, seu ritmo, suas pretensões, seus projetos egocêntricos.

Cultive a des-tensão.

Como?

Cultivando o contentamento e aprendendo a render-se às mãos de Deus.

Entrego-me, Senhor, totalmente confiante
a Teus braços cósmicos.

Contentamento

Como viver sem guardar desagradáveis e fatigantes tensões?
Eis uma pergunta sábia.
Há algumas coisas a fazer, outras a evitar.
No plano psicológico, a primeira é ocupar-se com o que estiver acontecendo agora, à sua frente, isto é, não ficar apreensivo com o que poderá vir, nem ligado ao que já passou.
A segunda é revalorizar as pessoas, as coisas, os acontecimentos, agora sob o prisma de alguém que já está deixando o egoísmo, as ilusões, os desejos, os apegos, as aversões...
A terceira é cultivar o milagroso contentamento.
E tem muito mais: saber que o tempo dá o alívio; que nada merece nosso dissabor; que só há um valor absoluto, uma vitória definitiva, uma alegria completa, uma felicidade perfeita... e essa vitória-alegria-felicidade é o Reino de Deus, que está dentro de cada um.

Meu refúgio é no Teu Reino, Senhor.

Autoconhecimento

Não se revolte nem se deixe tomar pelo ódio quando souber que alguém disse isso e aquilo, "cobras e lagartos" a seu respeito.

Sabe por quê?

Porque um parente ou amigo que nos ama tem dificuldade de ver nossos defeitos.

Veem muito mais o que temos e o que somos de bom.

Só um estranho e mesmo um adversário tem condições de perceber nossas falhas e, além do mais, dizê-las.

Não tome como ofensa o que às vezes é aviso e advertência.

A pessoa, tentando nos ofender, acaba por nos beneficiar.

Você pensa que é perfeito?!

Conhecer a mim mesmo. Eis a solução.

Maledicência

Você já observou – de fora – como funciona um "clube da tesoura"?

Já notou que terrível esporte é esse de falar mal, caluniar, difamar?...

Da próxima vez que quiserem envolvê-lo numa roda de maledicência, de "ti-ti-ti", proteja-se, recue, negue-se.

Não faça mal aos outros e a si mesmo.

A vítima da "tesoura" seguramente se tornará pior, porque receberá uma onda de maldade a mais.

E os maldizentes não podem, a não ser se intoxicar com os maléficos pensamentos que emitem.

Liberta-me, Senhor, de toda forma de violência.

Egoísmo

Nenhuma lei nova, nenhuma nova revolução, nenhuma luta social, nenhum protesto, nenhum novo governo ou nova maneira de governar vai resolver o problema da humanidade se você, os outros e eu continuarmos egoístas, dominados por desejos egoístas, por apegos egoístas, por ressentimentos e ódios, por medos e ansiedades egoístas.

Há um inimigo único, que gera todas as guerras, todos os sofrimentos, todas as injustiças e imoralidades...

Esse inimigo é seu ego, o ego dos outros e o meu ego.

Só o amor, que supera o ego, produzirá justiça e paz.

Que o Amor suplante todo egoísmo.

O reino

O guarda noturno perguntou ao bêbado: "Que você está procurando aqui, no chão, sob a lâmpada da rua?"

E ele: "A chave da casa."

O guarda: "Perdeu-a aqui?"

O bêbado: "Não. Lá, na frente da casa. Mas lá está muito escuro."

A maioria das pessoas está fazendo coisas assim – procurando felicidade, paz, alegria... onde nunca irão encontrar, isto é, nas posses, nos prazeres grosseiros, no poder, no cigarro, nas bebidas, nas drogas, na violência, nos altos status, nas colunas sociais...

É dentro de nós, no Reino de Deus, onde podemos achar o tesouro que nos falta.

Venha a nós o Teu Reino.

Mesmismo

Como está ficando difícil encontrar gente autêntica!
Tudo na sociedade moderna concorre para que nos percamos dentro da mediocridade massificada e mesmificada.
As criaturas vestem a *mesma* moda.
Divertem-se do *mesmo* modo.
Consomem as *mesmas* coisas.
Falam as *mesmas* gírias.
Bebem as *mesmas* bebidas...
Que pobreza espiritual!
Como está faltando a *coragem* de ser diferente!

Dá-me, Senhor, a preciosa coragem de ser autêntico!

Satsang

Dize-me com quem andas...
Você anda em companhia de pessoas bondosas, puras, amorosas, sinceras, caridosas, corretas, abnegadas?...
Não precisa dizer mais nada...
Já sei muito sobre você.
O semelhante atrai o semelhante.
Se notar em você alguma tendência para buscar as rodas de "fumo", as rodas de maledicência, de vício, de mentira, corrupção... Já sei também bastante sobre você.
Se você aspira a felicidade e a paz, a alegria e o equilíbrio, procure então viver com pessoas sábias e puras.

Senhor, obrigado por Tua perene presença em mim!

Os jardins

Se você me disser sobre os lugares que gosta de frequentar, com segurança e rapidamente, poderei dizer muito sobre você.

Alguns gostam de lugares iluminados; outros, de lugares sombrios.

Uns se dão bem na limpeza; outros, coitados!...

No reino animal também acontece esse fenômeno da preferência.

As abelhas frequentam as flores.

E as moscas?!...

As abelhas nos dão mel.

As moscas, doenças.

Que haja muitos jardins para você se sentir feliz.

Que eu esteja sempre em Teu Templo.

Administração dos talentos

Desculpe minha intromissão em sua vida. Mas, ontem (basta lembrar-se de ontem), a quantas pessoas ajudou?

Quantas vezes evitou mentir?

Quantas vezes e em que condições foi honesto com os outros?

Quantas palavras amáveis disse, e quantas alegrias deu aos outros?

Que uso fez de suas palavras, de suas mãos, de sua inteligência, de sua profissão?

Espero não estar lhe trazendo aborrecimento ou apreensão.

Minha intenção, com isto, é aumentar sua probabilidade de ser feliz, de ter paz.

Tudo é Teu. Sou todo Teu. Usa-me
a Teu serviço, Senhor.

Controle

Para que sua mente não cresça em poder e acabe dominando você, é prudente imitar o boleeiro firme e lúcido, que conduz a carruagem.

Mantém a direção, mas sempre com as rédeas curtas.

Nossos sentidos físicos, em busca de prazer, se comportam como os cavalos que puxam a carruagem. Se não os controlamos, eles se rebelam, pois os animais estão sempre seduzidos por variados prazeres.

Manter sob controle os cavalos evita a ruína do carro (nosso corpo) e do boleeiro (nossa razão discriminadora).

Não nos esqueçamos que o Dono da carruagem, o Espírito, não só está conosco, mas é nós mesmos.

Senhor, conduz e ilumina minha mente.

Autonomia

É muito frequente que jovens, em nome de uma irrestrita libertação, assumam atitudes e atos agressivos contra aqueles que, hoje, pais ou autoridades do Estado, pretendem reduzir a amplitude do "é proibido proibir", tão famoso.

É lícito e indispensável o empenho pela libertação. Tal empenho é característica da alma jovem.

Mas não é lícito nem sadio que os jovens reclamem liberdade de um lado, e do outro se comportem como escravos dos manipuladores da opinião pública, dos "donos das cabeças jovens", a fazer o jogo deles...

É livre um jovem que, não tendo a "coragem de ser diferente", consome cega e automaticamente ideias e slogans, moda, música impingida e tóxicos?!

Fortalece-me, Senhor, para que eu tenha a indispensável e libertadora coragem de ser autêntico.

Perfeccionismo

Para melhor saúde e mais firme paz precisamos nos manter alerta para não cairmos no perfeccionismo – eu insisto.

Mas que fazer com a lição de Jesus que diz assim: "Sede perfeitos como vosso Pai Celestial é perfeito"?!

Há aqui uma contradição, mas que é somente aparente.

Não podemos confundir perfeccionismo, que é uma atitude mental danosa, que nasce do egoísmo, da vaidade, com *aperfeiçoamento*, isto é, com o evoluir para a Perfeição, que, em nós, é potencialidade e também desafio. Para que atinjamos a Perfeição, é bom que evitemos o perfeccionismo. Perfeição é a plenitude divina, a qual não será atingida, a não ser que nada mais reste do ego perfeccionista. A Perfeição resultará da humildação.

O perfeccionismo se nutre da exaltação do ego.

Que eu possa evitar o anseio de ser melhor que os outros. Ensina-me, Senhor, a ser melhor para todos.

Apego

Imagine um homem transportando uma enorme carga sobre suas costas. Tudo que ele tem de rico, de valioso, está ali (objetos, títulos, diplomas, honrarias...), pesando, fazendo-o arquejar e arquear...

Ele está muito fatigado, e sabe que além da porta diante da qual se encontra há um paraíso de bem-estar, de frescor, de doçuras, de amenidade, de paz, de júbilo...

Por várias vezes o homem tenta inutilmente atravessar a promissora porta, que está toda aberta. A porta é acanhada... Só ele, e não sua carga, pode atravessar. Para isso, terá de largar a carga de suas "preciosidades", que através da vida de luta acumulou... A porta não deixa passar tantas "preciosidades"...

"Por que te apegas tanto ao que tens a ponto de te condenares a ficar aí fora, no sofrimento?" – Foi o que ele escutou da voz amorosa de Alguém que não se deixava ver.

Que o meu TER não me frustre SER.

Perdão

Não vai você me dizer que tem o mau gosto de conservar dentro de sua casa alguma coisa fétida e feia.

É... Ninguém o faria, seja por motivo de sensibilidade, seja para defesa da saúde e do bem-estar.

O incrível, porém, é que, por descuido ou, talvez, falta de informação, a maioria das pessoas conserva durante dias, meses... e pelo resto da vida uma coisa doentia e perturbadora dentro de sua alma – o ressentimento, o ódio, o desejo de vingança. Eis por que eu sugiro: PERDOE.

Perdoa-me, Senhor, pois já perdoei a quem me ofendeu!

Egosclerose

O mundo está assim, sofrendo tanto e tão ameaçado, tão perturbado e perigoso por causa de uma doença que tomou conta da humanidade em toda parte e durante todo o tempo.

É a doença da EGOSCLEROSE, isto é, o endurecimento de nosso ego.

É o egoísmo que puxa o gatilho do assaltante ou movimenta a caneta do administrador corrupto.

É por egoísmo que o empresário, sem escrúpulo, envenena o rio, destrói a floresta, fabrica e vende armas.

É por egoísmo que o traficante faz tantos escravos.

Que meu ego suma e Tu ocupes o vazio que restou!

Tao – caminho do meio

Há gente adoecendo porque não faz nada, por preguiça, por inércia... parecendo um pântano pestilento.
 Há gente adoecendo porque, ao contrário, se agita demais, porque parece que quer ficar rico em pouco tempo e se esfalfa na febre, na luta, em busca de lucro ou posição...
 A saúde e a paz só se encontram no meio-termo, no caminho do meio.
 O homem sábio é eficiente sem ser agitado.
 E sabe tirar proveito do repouso quando necessário.
 O homem insano ou não trabalha ou se agita demais.

Tua harmonia e Teu ritmo são bálsamo e alento.

Vida e morte

Antes era a religião que dizia que há uma vida muito bela depois da vida que terminou com a morte. Hoje é a ciência quem o diz.

Quem pensa que a morte encerra tudo, e nada sobra, está desatualizado com a Ciência.

Ora, um cosmonauta que volta à Terra e despe seu traje espacial, que o ajudou em sua tarefa na Lua, não se acaba, não se desmaterializa, não some...

Somente despiu o equipamento.

Nosso corpo é nosso equipamento.

Quando a morte nos leva, nos deixa vivinhos.

Sou uma vida eterna utilizando um instrumento transitório. Sou eterno. Meu corpo, não.

Meios corretos

Se para conseguir algo temos de mentir, de trair, de enganar, de praticar crueldade, de esmagar alguém... esse algo é tão podre quanto os meios e modos de consegui-lo. E sabe de uma coisa? Ninguém é feliz e vitorioso, ninguém está seguro e forte na posse de algo podre.

Se os meios são sujos, os fins atingidos por tais meios também o são. Esta é uma verdade total, absoluta, à prova de quaisquer sofismas e racionalizações.

Jamais os fins belos, verdadeiros e nobres podem vir a ser conquistados por meios perversos e negros.

Ninguém chega à luz se segue as trevas.

Senhor. Só não quero ser pobre de Teu Espírito.

Psicocibernética

Quando você diz: "sou forte", "sou feliz", "sou muito sadio", "sou tranquilo", segundo a sabedoria popular, "os anjos dizem amém".

É assim que, afirmando saúde, resistência, vitória, entusiasmo, infatigabilidade, você, eu, todos, nos tomamos sadios, resistentes, vitoriosos, entusiasmados, infatigáveis...

Mas não é menos verdade, embora poucos acreditem, que "os anjos dizem amém" quando dizemos que somos fracos, doentes, cansados, desanimados, vencidos...

Cuidado, amigo, com o "amém" dos anjos.

Escolha bem a imagem que tem de si mesmo. Tome cuidado com o que pensa de si mesmo.

Perdoa, Senhor, o uso errado que tenho
feito de minhas palavras.

Psicomendicância

Você conhece gente que vive se lamentando. Não é?
Eu também.
Há pessoas que vivem mendigando compreensão, amor, atenção, carinho; finalmente, alguma forma de ajuda...
Na hora em que você, por descuido, começa a pedir, não tenha dúvida, já está se condenando à pobreza, pobreza de atenção, carinho, amor, compreensão, pobreza daquilo que pedir.
Sabe que isso é terrivelmente contra você?
Sabe que muita gente se tornou mendigo psicológico e anda por aí choramingando, somente pedindo?
Coitadas!
Cuidado!

Senhor, nada mais quero que Tua presença.

Des-Paixão

Uma das brincadeiras mais cruéis que você pode fazer com uma tartaruga é assim: você amarra às suas costas um pau, de forma a ultrapassar-lhe a cabeça, e na ponta do pau pendura uma folha de alface.

Atraída pela alface, e traída por você, a coitada andará sem parar, perseguindo a apetitosa comida, mas sem a alcançar, sem qualquer chance de satisfazer sua fome.

As pessoas que vivem em busca de prazer, de prazer cada vez maior e mais excitante, me lembram o drama da tartaruga seduzida, que não consegue se satisfazer.

Se você é assim, mude. Mude agora.

Ensina-me, Senhor, o contentamento.

Hipocrisia

Que é infelicidade?
É viver mal.
E felicidade?
É viver bem.
E que é viver bem?!
É estar sempre em paz, isento de conflitos, sem padecer cisões dentro de si mesmo, é viver sem remorso, sem medo, sem dívidas e sem dúvidas. Viver bem é gozar a condição de sorrir por não temer o "castigo de Deus"(?!). É poder, sem receio e sem acanhamento, invocar Sua Presença.

O maior sofrimento de um descarado farsante, de um prevaricador, de um embusteiro é ter de afastar-se e esconder-se de Deus.

A hipocrisia é aquilo que mais nos priva de Deus.

Para os erros dos "pecadores" comuns, Jesus só teve perdão. Ele só não perdoou os hipócritas, pois a hipocrisia nos incapacita para o arrependimento e, portanto, para o nunca negado perdão de Deus.

A infelicidade é o preço da hipocrisia.

Tua Verdade, que é Felicidade, só a têm os que vivem sem trapaças, sem disfarces, sem máscaras.

Não violência

Você, que tem ouvido meu "Convite à Não Violência", naturalmente poderá questionar:

"Eu, violento?! Como?! Nunca assaltei, nunca bati em ninguém, nunca feri..."

Ora, não seja ingênuo!

Quando comentamos sobre a vida de outras pessoas, procurando, consciente ou inconscientemente, desfigurar sua imagem e seu lugar na sociedade, estamos praticando violência. É uma forma sutil, mas peçonhenta, de violência, que mata a honra, a credibilidade, os valores da vítima indefesa, porque ela está sempre ausente. Ferir com um revólver é bem mais espetacular do que atingir com venenosos comentários disparados pela boca. Tanto o revólver quanto a boca, no entanto, manifestam violência, crueldade...

Que nossos pensamentos e nossas palavras sirvam para abençoar, nunca para agredir.

Que eu sempre bendiga.

Lei do retorno

Que acontece quando atiramos um punhado de areia contra o ventilador em funcionamento?

Infalivelmente recebemos uma chicotada. Não é?

E se, em vez de areia, atirarmos o perfume de nossa preferência?

Por certo, ficaremos perfumados. Ou não?

Isso funciona assim em obediência a uma lei natural. É a chamada "lei do retorno", que nos devolve o que lançamos sobre o mundo e sobre os outros. Recebemos de volta, *infalivelmente*, aquilo que emitimos de nós mesmos.

Conhecedores de uma lei, devemos usar nosso discernimento para sempre colocá-la a nosso proveito, e jamais em nosso detrimento.

Para sua felicidade, indague de si mesmo: "Que tenho eu emitido para o mundo, e para meus semelhantes?" Bênçãos ou maldições? Amor ou agressão? Bondade ou maldade? Santidade ou insanidade? Amparo ou destruição?

É fundamental que você se questione. Seus atuais sofrimentos, por certo, são autogerados, isto é, frutos dos retornos que lhe pertencem.

Que meu agir faça crescer o bem na Terra
e a paz na humanidade.

Mentira sobre mentira

Você já observou que a pessoa, no princípio, mente quase sempre para curtir uma situação de que gosta, mas legitimamente lhe é merecida, ou para obtenção dos inúmeros objetos de seus desejos egocêntricos?

Depois de alcançar o que desejou, se ainda resta algum pudor, o mentiroso vem a arrepender-se... E se segue o medo, diante da possibilidade de vir a ser desmascarado...

Aí começa uma sequência de mentiras oportunas, cada uma para encobrir as anteriores.

Essa infeliz deterioração moral vai se aprofundando, e produzindo o autodescrédito...

Uma consciência envergonhada, temerosa e acusadora deteriora não somente psíquica e moralmente, mas também fisicamente.

Consciência pesada é um dos mais virulentos agentes patogênicos que podem nos arruinar a saúde.

Necessito vitalmente viver em Ti, e, por isso,
tenho de viver a Verdade, que Tu És.

Regra áurea

Meu guru, Jesus Cristo, grande conhecedor da "lei do retorno", enfaticamente recomendava:

"Faça aos outros aquilo que deseja que façam a você."

Pense bem sobre o que você gostaria de receber.

Amor? Ternura? Amparo? Ajuda? Orientação? Simpatia? Estímulo? Verdade? Bênçãos? Esclarecimento? Preces? Afagos? Alegria? Lealdade? Consideração? Arrimo? Pão? Encorajamento? Perdão?...

Você não precisa pedir para si tais coisas ao suprimento de Deus.

Basta se antecipar e oferecer, propiciar tudo isso aos demais. Faça-o não como quem faz uma barganha, mas como um técnico que, conhecendo uma lei científica, pode prever e programar os resultados, e, simplesmente, usa a lei com segurança e objetividade.

*Que eu possa me tornar um arrimo
e um bem para todos.*

Convite à não violência

O mundo e cada pessoa estão carentes de compreensão, cordialidade, ternura, caridade, amparo, compaixão, amor...

Sem que nos dediquemos a oferecer tais coisas aos demais, não adiantarão as passeatas, os slogans, as campanhas contra a violência.

A violência, que é ódio, só será suprimida com a doação de Amor.

Violência é brutalidade. Temos de cultivar a Sabedoria.

Violência é fruto do egoísmo. Devemos promover o altruísmo.

Violência é insanidade. Se queremos a não violência, melhoremos nosso estado de saúde.

Violência é obscurantismo. Cultivemos e cultuemos a Luz.

Violência é paixão. Sejamos compassivos.

Melhor do que, firme e veementemente, lutarmos contra a violência é aceitarmos um gentil convite à simpatia, à lucidez, à bondade, à complacência, à cordialidade, ao amor...

Que eu possa sempre amar e servir.

Poderes mentais

Há uma espécie de talento que requer uma consideração muito cuidada. Refiro-me aos chamados poderes paranormais. Na Antiguidade, o que hoje são chamados de médiuns ou sensitivos eram os profetas. Sempre existiram, existem e existirão pessoas que veem fatos antes que aconteçam ou que aconteceram há séculos, semanas ou milênios, pessoas que veem os níveis normalmente invisíveis, que escutam sons que outros não captam, que transportam ou materializam objetos físicos, que profetizam, curam ou conseguem o oposto – adoecer ou perturbar os demais.

Tais poderes funcionam seja para construir, seja para destruir, seja para ajudar, seja para agredir. Quem os possui tem de responder pelo uso que deles faz. Se os utilizar para atingir os objetos de seus desejos, apegos ou aversões egoísticas, está assinando uma autocondenação dolorosa.

Todos os médiuns, sensitivos e paranormais precisam viver em vigilância e oração, e realizar uma plena humildação para que seja o próprio Deus, e não seus egos, quem dirija o uso dos chamados "poderes".

Dá-me, Senhor, o único poder que desejo,
o poder de Te servir e adorar.

Desastres mentais

Dirigindo uma bicicleta, você terá de ter muito menos cuidado do que se estiver em cima de uma moto. Um erro praticado por um ciclista terá resultados muito menos dramáticos que o praticado por um motociclista. Não é? O ferimento que um agressor fizer em sua vítima dependerá do grau de destrutibilidade de sua arma. Assim, quem dá um soco praticará uma violência menos desastrosa do que se atirasse nele com uma pistola automática.

Estou querendo, com isso, lembrar que um pensamento agressivo, emitido por uma pessoa comum, é muito menos trágico do que um produzido por um desses indivíduos que, por meio de técnicas, enquanto negligentes na ética, "desenvolveu os poderes mentais".

Lembro ainda que o pensamento destrutivo não se dirige somente contra os outros. Quando, no auge de uma crise existencial, mergulhado em depressão ou irritação, invigilantemente, qualquer um chega a dizer, com sinceridade e ênfase: "É o fim! Tomara morrer. A vida é uma droga. Vivo no inferno. Por que não morro logo?!"

Isto é, cientificamente, uma genuína autodestruição que se cumpre muito mais rápida, fiel e necessariamente na medida em que o imprudente "desenvolveu" seus "poderes mentais".

Cuidado!

Que minha mente seja Teu trono, Senhor.

Amor e sexo

Sexo, com Amor, é completo, lindo, puro e santo.

Sexo somente como fonte de prazer, nada tendo a ver com Amor é incompleto. Nem se pode dizer que é bonito. Limpo não é mesmo. Chega até a configurar um vício, e mesmo, com certa frequência, degrada para a perversão e, consequentemente, para a perdição.

Sexo, com Amor, gera saúde, instala a paz, produz alegria, cria a humana felicidade.

Sexo, sem Amor, apenas por prazer, gera doença, perturba a paz, leva à tristeza, cria infelicidade.

Os viciados do sexo, por evanescentes minutos de prazer, contraem dívidas dramáticas. Não é o caso dos crimes passionais? Contraem pesadas dependências, que geram relações humanas degeneradas e aflitas.

*Só o Amor, que é Deus, pode dignificar
e santificar o sexo.*

Amor e sexo

Que é esse ingrediente que embeleza, purifica, sanifica e aperfeiçoa o sexo?!

Que é esse "tal" Amor, que faz da prática sexual uma felicidade autêntica e sublime?

Eu responderia: é *pensar* bem do outro, *pensar* o bem para o outro... é *desejar* o bem do outro; é fazer o maior bem ao outro; é *bendizer* o outro... *Sempre o bem, sempre o outro.*

Diria mais: que o Amor se manifesta quando renunciamos a *pensar, desejar, fazer* e *dizer* o bem somente para nós. Como normal, medíocre e horizontalmente acontece.

Qualquer egoísta está em condições de curtir intensamente os prazeres sexuais, mas é incapaz para viver a Felicidade, que só o Amor produz.

A Felicidade, que é Amor, é o que mais devemos *pensar, querer* e *criar* para o outro.

Mas, reinando o Amor, onde o outro?

Reinando o Amor, nós somos um com o outro, e só assim *unificados* alcançamos a Perfeição.

O império do "eu" curte o sexo, mas não sabe o que é
Felicidade, aquilo que Tu És.

Amor e sexo

O Amor é essencial ao sexo.
Mas o sexo não é essencial ao Amor.
Existe Amor assexuado. Amor filial, maternal, paternal, fraternal... são sem sexo.
O amor de um artista por sua obra, o de um herói por sua causa, o de um místico que adora a Deus, o de um poeta vibrando com toda sua alma na contemplação de um firmamento esplendoroso... tudo isso é Amor. E onde está o sexo?!
Se um casal se ama com a mesma sublime intensidade, com a mais límpida pureza, com o oceano de divinas energias, com a incomparável beleza de um artista, de um herói, de um místico, de um poeta, o sexo que eles praticarem será uma genuína realização divina, que produz a unificação, portanto a Felicidade.

O Amor primeiro, e o resto virá por acréscimo.

Sexo/perversão

Sexo pervertido e perverso, irresponsável, indigno, irracional, patológico, simplesmente passional e carnal, desvestido de beleza, de ternura, de pureza, de equilíbrio, de sanidade, de autodoação... é o que todos podem ver nas bancas de jornais, na tela dos cinemas, nas TVs.

Tudo isso é sintoma de um grave desvio, de uma valorização errônea e anômala, portanto uma enfermidade cultural que, por via de tanta insistência em exibir o monstruoso, acaba por anestesiar as almas, que passam a tomar como normal a perversão, a chamar de "amor" o que é cinismo e doença.

Se você ainda pode, negue-se a isso; negue-se à distribuição dos valores, negue-se a esse processo trágico de "descriminalização" do aberrante e sujo.

Sexo perverso efetivamente distrai enquanto
eficazmente destrói.

Império dos desejos

Está na moda uma proposta de tratamento psicológico à base de desrepressão sexual, de extravasamento erótico, de esbanjamento genital.

Quanto mais prazer, melhor!

Quanto menos responsabilidade, equilíbrio, dignidade e amor, melhor!

É como se sobriedade e pureza, ternura e autocontrole produzissem câncer.

Tudo se passa como, se dermos rédeas soltas a nossos desejos, até mesmo os mais abjetos, estaremos vencendo opressões, frustrações, repressões e, consequentemente, sendo sadios e felizes.

Ora, o Buda não era um tolo, e ensinou que ao tentar saciar todos os nossos desejos cometemos a mesma imprudência de um homem que bebe água do mar pensando em aliviar sua sede. O que ele consegue com tal procedimento é criar sede maior. Ou não é?

*Só Deus é o Supremo Gozo. O júbilo infinito
é o Amor, isto é, Deus.*

Império dos desejos

Se nosso paladar, que já se acha tão pervertido com temperos múltiplos que lhe emprestam apetitosos e falsos sabores, cores e odores, se nosso paladar não fosse tão tirânico, teríamos condição de, com inteligência, e em proveito da saúde física e mental, selecionar os alimentos mais nutritivos, mais digestivos, mais facilmente assimiláveis e menos intoxicados, isto é, mais apropriados à nossa *natureza*. Se assim fosse, rechaçaríamos as "obras-primas" da culinária sofisticada e sedutora. Então não consumiríamos enlatados, conservas, frios, crustáceos, linguiças, salsichas e outros venenos gostosos.

Chega uma hora em que uma doença nos encosta na parede, e então somos forçados a optar entre a sensualidade do gourmet e a sobriedade que mantém a saúde.

Nutrição inteligente é uma condição de gozar boa qualidade de vida.

O Mestre de minha vida é Deus; nunca as diversões do prazer desnaturado.

Psicocibernética

"Passa pra dentro, menino! Está chovendo e você vai pegar uma gripe!" – é uma advertência que mães e pais costumam fazer, denotando cuidado, amor, proteção, as melhores intenções.

Mas, apesar de tais carinhosas intenções, é certo que os resultados são bons, sempre bons?!

Quando alguém diz a outro "você vai adoecer", está, não importa a intenção, introjetando na mente dele uma enfermidade, uma eficaz convicção de frágil imunidade.

Seria preferível que pais e mães evitassem pôr dentro da mente de seus filhos sugestões de fraqueza, imperfeição, doença, conflito...

Mais felizes se tornarão os filhos de pais que, com a mais poderosa energia, insistam em afirmar: "Filho, você é muito forte, muito forte mesmo. Você é bom, inteligente, tranquilo. Cada dia você se torna melhor em todos os aspectos..."

Nós nos tornamos aquilo que pensamos.

Somos invencíveis porque "o Senhor é nosso Pastor"
e nada nos vencerá.

Psicocibernética

Há um procedimento que tem o poder extraordinário de levar benefícios inimagináveis às pessoas que sempre encontramos: o carteiro, o vendedor de jornais, o contínuo ou o boy do escritório. Consiste em sorrir amavelmente e dizer coisas assim: "Estou reparando que você está atravessando uma fase muito boa; sua 'vibração está ótima'; parece até que não tem problemas; que excelente aspecto! Espero que vá sempre assim, vitorioso."

Com isso você está dando vida e energia, coragem e entusiasmo, saúde e felicidade ao outro. Com isso você está administrando uma grande dose das melhores das vitaminas – entusiasmo e fé.

Ocorre um milagre: você dá muito, nada tira de si, e, o que é melhor, está se enriquecendo também.

*Que haja paz e bem-aventurança para
todos os seres da Criação.*

A morte da morte

A maioria das pessoas vive como se não acreditasse que a vida tem um fim.
Mas há um fim para a vida.
A vida termina com a morte.
A mediocridade humana, entorpecida em sua pobre horizontalidade, leva uma vida sem beleza, cega, mesquinha, sem percepção de seu valor, de sua utilidade, de sua magnitude, de seu glorioso destino.
A morte só é o fim para uma vida sem Vida.
Mas a própria morte tem um fim.
O fim da morte é possibilitar a vida alcançar a Vida.
Os que vivem entorpecidos, embora respirem, estão mortos. Imprudência, carência, falência, decadência... são o preço da ignorância.

Louvores a ti, irmã querida, "a morte física",
que me abres a porta à Vida.

Eutanásia

Temos procurado cultivar, de alguma forma, em certa medida, a preciosa "arte de viver".

Centenas de livros, cursos, conferências mil, muitos seminários, no mundo inteiro, vêm sendo dedicados a desenvolver a "arte de viver", tentando-se a habilitação para um viver sábio, eficiente e venturoso.

Mas, lendo o jornal de hoje, constatamos, com tristeza, que o mundo não aprendeu, até agora, a "arte de viver".

Por que não vivemos com arte? Por que falhamos tanto na "arte de viver"?

Ouso enunciar uma possível explicação:

Não alcançaremos a "arte de viver" enquanto não aprendermos antes a indispensável, mas ainda negligenciada, "arte de morrer".

Acredito que ao aprendermos a morrer com dignidade, destemor, lucidez, tranquilidade também simultaneamente aprenderemos a viver. Os que aprendem a morrer fazem necessárias mudanças inteligentes, assumem valores novos, alcançam elucidações, finalmente se renovam; realizam uma profunda e fecunda metamorfose, que temos o direito de chamar "arte de viver".

Que minha vida termine com um morrer
que me abra o acesso à Vida.

Psicopedagogia

Evite forçar outra pessoa a valorizar, a sentir, a optar, a agir, a falar, finalmente a conduzir-se como você *acha* que seja melhor, como *acha* que deve ser, "pois é assim que eu faço".

Sabia que isso é um forma de violência? Então não é violência e desrespeito negar ao outro sua condição de ser, de aprender e crescer, mesmo cometendo erros? Não será isso uma violação da liberdade?!

Se tiver necessidade de evitar que um ente amado (filho, amigo, aluno, cônjuge...), caia num caminho que você sabe terrivelmente destruidor, cumpra seu dever de tentar defendê-lo. Converse, mas num diálogo sem ansiedade, sem tensão, sem violência. Respeitando-o, convide-o a ver o que ainda não viu; amando-o, com ternura, convide-o a prever o que virá como consequência de seu desvio...

Acima de tudo, e antes de qualquer iniciativa, peça a Deus que o inspire para ver o melhor, a encontrar as palavras mais adequadas e lhe dê forças ao que vier a dizer.

Que Tua Vontade retifique o agir de todos.

Paradoxos

Reconhecemos todos que a proposta do Cristo e de todos os grandes mestres e encarnações divinas são evidentes paradoxos.

Vejamos:

É dando que enriquecemos.
É humildando-nos que realmente crescemos.
Renunciando é que conseguimos alcançar.
Morrendo é que vivemos para a vida eterna.
Quem quer salvar sua vida perdê-la-á.
Ao dar a outra face – igualzinho a Gandhi – é que vencemos a batalha.
Tornando-nos servos do Senhor é que poderemos viver a mais perfeita e irrestrita liberdade.
Voltando a ser crianças, alcançamos a plena maturidade.
Quem usa a violência sempre sairá vencido.
Para a horizontalidade da lógica – a tão incensada lógica humana – tudo isso é absurdo.
É com absurdos que Eles preferem acordar os surdos.

Que nos ajude, Senhor, a ter "ouvidos de ouvir".

Nutrição

Em defesa e promoção da saúde, é bom que você não se descuide da nutrição. Não me refiro somente ao que ingerimos e é processado no tubo digestivo, trazendo substâncias químicas indispensáveis à manutenção da vida. Esta é ultra-importante.

O que consumimos pelos ouvidos (sons, músicas, ruídos, palavras...), o que consumimos pelos olhos (imagens, espetáculos, formas, cores...), o que consumimos pela pele, pelas narinas, o que consumimos pela mente (conversas, aulas, leituras...), finalmente, o que consumimos pela alma (sentimentos, emoções...), tudo isso tem grande poder de nos manter sadios e tranquilos ou doentes e perturbados.

A propósito, como vão suas diversões?

Que tipo de entretenimento, que forma de lazer você anda consumindo?

Seja criterioso.

A saúde é sua. Não a estrague.

Que a Sabedoria, e não o prazer, conduza meu viver.

Mansuetude

Para sermos violentos basta-nos a ignorância, o agir instintivo, basta ser ególatra, basta ser um fraco, basta padecer de frustração e infelicidade.

Aí está por que é tão espontâneo e fácil ser cruel e movido pela ira, ser queimado pelo ressentimento, ser levado pelo revanchismo...

Ao contrário, para ser não violento, muitas qualidades espirituais devem ser cultivadas: coragem, generosidade, sabedoria, fortaleza e bem-aventurança.

O indivíduo bruto, sempre disposto ao ódio, à inveja, muito suscetível ao medo, ao apego, às aversões, comporta-se como uma inquieta e perturbadora máquina de agressão, erros, injustiças e contravenções.

O mundo precisa que aumente o número das pessoas não violentas, de pessoas benevolentes.

"Onde houver ódio, que eu leve o Amor."

A ação que liberta

Você se ressente com a ingratidão dos outros?

Você que acha que tanto deu de si agora reclama porque ainda não recebeu reconhecimento, gratidão, correspondência...

Diante da ingratidão dos demais, dá vontade mesmo de desistir de ser bom, de ser prestativo... Não é?

Ora, amigo, acorde. Reflita, analise-se. Procure compreender os motivos que o levaram a ser "bom".

Em realidade, você não foi generoso ao ajudar.

Se agora você está zangado, cobrando retribuição, é por que andou "negociando". Negociando mesmo: servindo, visando a ser servido, dando para receber... Não foi?

Não é nada sábio fazer assim.

Esperar recompensa é não somente uma prova de egoísmo, mas também uma causa de sofrimento.

Faça o bem unicamente pela alegria de fazê-lo.

Senhor, cabe-me plantar e cultivar,
mas os frutos são Teus.

Discernimento

Tenho tido pena de milhares de pessoas que facilmente passaram a acreditar em "falsos mestres", em "sacerdotes ou santos de coisa nenhuma", em "fraternidades ocultistas", em "esdrúxulas terapias", em "multinacionais de meditação e libertação", em "novas arcas de Noé".

Lembro-me de um adágio que diz: "Triste dos espertalhões se não existissem os tolos, que neles acreditam e compram suas intrujices."

Hoje, com a eficiência mágica dos processos de persuasão, os charlatães têm muito maior facilidade para iludir e manipular, e os tolos estão muito mais expostos e ameaçados.

Para seu bem, para preservar sua felicidade, para continuar livre e disponível para Deus, ligue um "desconfiômetro", mesmo para aqueles que falam de Deus e estão empolgando multidões incautas.

Acautele-se para não cair no "conto da nova salvação".

"Por seus frutos os conhecereis."

Valorização

As coisas e situações, em si mesmas, não são boas ou más, feias ou belas, favoráveis ou nocivas...

Elas são uma ou outra, conforme as avaliamos, de acordo com o uso que delas fazemos.

Não condene nem tema coisas e situações, pessoas ou fatos que lhe pareçam dolorosos ou temíveis. Procure, com isenção e tranquilidade, considere objetivamente e sempre descobrirá um outro valor positivo, algo aproveitável e até mesmo, em alguns casos, precioso.

Se tivermos sabedoria bastante para, sem arroubos, sem protesto ou dissabor, sem ira nem medo, sem lamentos nem desânimo, descobrir o que há de aproveitável no que parece calamidade, o mundo sempre nos será propício, não obstante as aparências.

Se nos conduzirmos com sabedoria, veneno se tornará remédio.

Se imprudentes, remédio se tornará veneno.

Dá-me, Senhor, "olhos de ver e ouvidos de ouvir".

Superação

Por piores que seus padecimentos sejam, procure não se inquietar.

Apesar de tudo, mantenha-se sereno.

É difícil. Em certas horas, até parece impossível.

O que é fácil, dificilmente é solução.

Você não quer superar a crise? Ou quer apenas amenizá-la ou escamoteá-la?

Para quem deseja uma solução, o alerta: não desanime! Tenha fé!

E é só assim que a solução poderá acontecer.

É exatamente isso que Jesus espera de nós, para poder nos salvar.

A uma pessoa a quem curou, Ele falou assim:

"Tem ânimo. Tua fé te salvou."

Minha fé me sustenta, me salva,
me levanta e me dá a vitória.

Prazer e poder

Os medíocres são marionetes, manobrados por dois cordões: o dos prazeres e dos poderes.

A caça ao dinheiro, a ânsia pelas propriedades, a sede pelas posições mais altas na sociedade, na política, na ciência, nas finanças, nas artes... consomem quase todas as energias e os talentos divinos que Deus confiou a todos.

Tanto poder para quê?!

Para quase todos, o poder é um fim em si mesmo. Para alguns, é um meio para a compra de gratificações sensuais mais intensas, mais inusitadas...

Os gozadores, neurotizados pelo desejo erótico, vivem aflitos para adquirir o poder de comprar mais prazer...

Como se vê, o Investidor está sendo esquecido. Traído mesmo.

Aos ricos, uma advertência: dinheiro compra prazer, mas felicidade, não. Mas pode iludir, até que, em certo ponto, se manifesta a frustração e a dor assalta, trazendo sua lição.

Aos gozadores: o prazer acaba, e o vazio é a dor.

Acima do poder e do prazer, eu Te peço,
ajuda-me a SER.

Viver sabiamente

Deveríamos viver mais sabiamente.
Em que consiste?
Viver sabiamente é viver o dia de hoje sem esquecer um minuto sequer que pode ser o dia em que o Senhor "queira" nos chamar para o ajuste de contas, e perguntar: "Que fez você dos talentos que lhe confiei?"
Viver sabiamente é o que nos permite responder: "Senhor, deste cinco talentos e os fiz render. Entrego-te agora o dobro."
Nunca devemos esquecer que a liquidez do investimento é a morte quem arbitra.

Senhor, que eu multiplique Teus talentos,
para Tua Glória.

Amorterapia

Tenho uma enorme pena do ignorante que diz: "Amor coisa nenhuma; estou aí a fim de gozar, ganhar, curtir, me *esbaldar*"...
 Que terrível doença é a ignorância! É doença mesmo, e infelizmente transmissível.
 "Amor coisa nenhuma..." Quem assim fala é, além de doente, um sofredor, um imaturo, e, embora não pareça, um débil. Quem é assim terá de sofrer muito para poder aprender; inevitavelmente atingirá o fundo do poço... E é exatamente este desmoronar que o fará despertar, e só assim poderá ver o quanto é urgente se tratar.
 E então a terapia mais eficiente, aliás a única, é aprender a amar.

Amar é a melhor profilaxia: previne
os grandes sofrimentos.

Egocentrismo

A vida coletiva é um barco navegando a muitos quilômetros da costa, sem terra à vista.

A maioria de seus ocupantes, alienadamente, está se divertindo.

Cada um, usando uma pua, está fazendo um furo bem debaixo de seu banco.

Se alguém mais lúcido reclama e adverte sobre o prognóstico da ruína de todos, ouve um coro irresponsável e irado a dizer: "Ninguém tem nada com isso. É debaixo de meu banco... E daí?!"

Indiferente ao refrão fatídico, insisto em alertar: "Todos iremos a pique se não for dado um lugar à inteligência, à prudência, se não renunciarem ao trágico divertimento suicida. Parem a curtição... Não destruam e nem se destruam."

Que possamos cada vez mais sentir e viver que somos um só, na alegria e na tragédia.

Dê uma chance a Deus

A experiência do ator

A história do ator e poeta Jackson Antunes vai aqui narrada como introdução, pois, como se verá, ele deu uma chance a Deus e, com isso, uma guinada em sua vida. Que ele mesmo narre os acontecimentos:

Nascemos, meu irmão gêmeo e eu, em agosto de 1960, no sertão agreste de Minas, situado entre Janaúba e Porteirinha. Terra de sol causticante e também mágica, trilha de Guimarães Rosa. Minha mãe mal chegou a sorrir com nosso nascimento, porque logo depois o corpo de meu avô foi levado para o cemitério. Ainda pequeno, meu irmão foi morar com Deus. Lembro da carga de emoção que tomou conta de nós.

Cresci menino forte, sadio, livre. Tomava banho de rio, corria descalço, sem camisa, atrás de rápidas borboletas coloridas. À medida que crescia, passei a tomar conhecimento de estranhas manifestações em meu corpo – suores frios, tonturas, enxaquecas, fobias. Certa vez, já rapazinho, morando em Janaúba, procurei um médico e fiz uma bateria de exames para detectar aquele mal indefinido. Nada estava errado. Mas como, se eu não conseguia dormir direito, rolava na cama a noite inteira?! E aquela sensação de vazio, desencanto e solidão?! Transformei-me num rapaz triste, calado, sem amigos.

Numa dessas festinhas de aniversário, tomei meu primeiro trago de cachaça. Foi uma glória! Depois de alguns copos, estava sacolejando o corpo feito um bailarino. A bebida me deu uma sensação de relaxamento e segurança que jamais experi-

mentara. Em festas e bares aprendi também a fumar. Fumava dois maços por dia. Fumava ou estava sendo fumado?

Passado o tempo, fui morar em Belo Horizonte. Fazia teatro, mas devido às dificuldades de nosso teatro se impor como arte digna, trabalhava paralelamente como pintor-letrista. Sempre fui um apaixonado pelo teatro. Tinha um propósito, um sonho. Conhecia a seriedade de meu trabalho, mas não conseguia apoio, enfrentava a discriminação, faltava público... Tudo isso destruía meus nervos. Minava minha saúde.

A essa altura, para atingir o relaxamento milagroso do primeiro trago, era preciso uma garrafa inteira.

Quando minha filha ia nascer, fruto de uma relação difícil e tumultuada, senti medo da responsabilidade. Já é difícil a um neurótico tomar conta de si mesmo... E agora teria de tomar conta de outra vida. Era um desastre para minha mente já atribulada.

Devo ter procurado uns quarenta médicos e ouvia sempre o mesmo: Vá para casa. Tranquilize-se. Você não tem nada.

Nada?! Eu estava quase morrendo. Aquelas sensações desagradáveis eram reais. Pânico, insônia, tensão, medo de morrer... Como não tinha nada?

Em desespero, peguei um ônibus e voltei pra Janaúba em busca de alívio em casa de papai e mamãe. Queria ficar perto dos meus. Podemos correr de tudo, menos de nós mesmos. Os problemas só aumentaram. Tirei a paz de minha família. Perdi a conta de quantos médicos consultei.

Num belo dia – de fato não somente belo, mas inesquecível –, a caminho de mais um neurologista, encontrei um livro que alguém esquecera numa poltrona do ônibus.

O livro era Mergulho na paz, do Professor Hermógenes. Logo que o abri fui presenteado com esta joia, que mudou minha vida:

> Jogaram uma pedra na tranquilidade do lago.
> O lago comeu-a.
> Sorriu ondulações...
> Ficou novamente tranquilo.

Senti meu coração tocado. Senti a presença do Divino naquele livro, nas palavras do autor, o qual, ao mesmo tempo que procurava aliviar a dor, dava alfinetadas, nos desafiando a crescer, a mudar... Li, reli, estudei, indiquei para amigos aquele agradável Mergulho na paz. *Na minha intranquilidade, jamais pensara ser merecedor.*

As pessoas começaram a notar minha transformação. Isso me deixava feliz. Tornei-me mais produtivo no trabalho. Aqueles terríveis sintomas deixaram pouco a pouco de ser tão ameaçadores, e eu os compreendia – eram cargas a mais que fui deixando para trás, nas margens da estrada.

Hoje o tempo passou – com ou sem dor, feliz ou infeliz, indiferente a nós, o tempo sempre passa –, sou um homem novo. Artífice de meu destino, fiz com que ocorressem várias mudanças em minha vida, tanto no plano afetivo como no profissional. Não me considero um praticante fervoroso de Yoga, embora isso esteja em meus planos. Costumo dizer que pratico logoterapia – entrego a Deus minhas vitórias e derrotas, e hoje sei que eu e o Pai somos um.

Como no passado, tenho razões de sobra para andar estressado e lastimando, esmiuçando sintomas, mas o Yoga, através dos livros do Professor Hermógenes (o qual hoje tenho a graça e a felicidade de ter como amigo), me une com o Divino. Isso é o que me faz ter forças para enfrentar ganhos e perdas com um sorriso nos lábios. Hoje sou um novo homem.

Pediram-me um livro pequeno, que reunisse parágrafos que pudessem semear ideias provocativas e fecundantes e detonar intuições. Eis o que pude conseguir.

Tomara que funcione.

Histórias pessoais relatadas espontaneamente fizeram-me acreditar que em livros que publiquei há parágrafos informativos e instigantes que andam por aí a catalisar vidas, a mudar comportamentos, a sugerir caminhos e valores novos, a inspirar conversões espirituais...

Mérito meu? Não.

Tudo obra do Bom Pastor no resgate de "Suas ovelhas", incondicionalmente amadas por Ele. Quanto a mim... Sei lá... Como é que entrei nisso?! Só atento com uma explicação – misericórdia divina. Lembro-me de Ramakrishna a dizer que um toquinho de vassoura velha ainda consegue remover alguma poeira.

Saquei do computador alguns "recadinhos" nada açucarados, nada melosos, nada emolientes... Nada que pareça ingênuo consolo aos que sofrem. Ao contrário, aí vão desafios. Que possam erguer o derrubado para assumir sua tarefa na Vida Universal e sua responsabilidade na sua própria caminhada evolutiva. Selecionei "recadinhos" amorosamente alfinetantes, docemente incendiários. Que possam inspirar, esclarecer, despertar e encorajar.

O caso do ator Jackson Antunes não é único nem é raro.

As histórias de pessoas que mudaram, em linhas gerais, se parecem.

Antes, dias de tristeza, doença, debilidade, alienação, insatisfação, equívocos, insegurança psíquica, mendicância espiritual...

Em algum dia – a leitura. Fortuita? Buscada? Programada? Só Deus sabe.

Imediata e inesperada desarrumação nas velhas estruturas enfermiças, desenhadas por antigos valores, alicerçadas em já inseguras seguranças e crenças que outrora pareceram firmes. A coisa se dá como uma espécie de abalo sísmico interior.

Segue-se o pensar e o repensar. Fermentação. Remoção de véus. Conversão!...

Se o solo for mesmo fértil, a germinação acontece. E a colheita pode ser milionária.

Leia sem pressa. Releia sempre. Cada releitura detona algo que vale a pena. Leve sempre com você e, assim que der, abra numa página qualquer.

Namastê,
Hermógenes

DeusDeusDeus

Ostentando um livro na mão, o homem, no imenso auditório, gesticulava e clamava espetacularmente, tentando convencer o público de que ali, no livro, estava toda a Verdade. O livro sagrado é um venerando repositório da Verdade. A mão de qualquer um pode segurar um livro. Mas e a Verdade?!

Só um coração puro e santo, luminoso e renunciante consegue alcançá-la. Embora formalmente no livro, a Verdade é protegida por densos véus. Só aquele que a ame acima de tudo consegue des-velá-la. O "falso profeta" ama apenas o lucro fácil da venda de seus embustes. O dogmático ama somente as semiverdades ou arremedos de verdade desde há muito *impostas* e que ele, a troco de segurança psicológica, fanaticamente defende. Em conclusão, quem não ama a Verdade não tem "olhos de ver e ouvidos de ouvir". Supõe possuir a Verdade somente porque possui o livro.

DeusDeusDeus

O mundo é um irrequieto desfilar de *opostos*, que se sucedem incessantemente, tais como ganho/perda, queda/ascensão, claro/escuro, nascimento/morte, alegria/tristeza, bom/mau, bem/mal, pecado/virtude, saúde/doença, paz/conflito, carência/abundância, aprovação/repreensão...

Quanto mais egoísta uma pessoa, mais fácil, rápida e intensamente festeja e se deprime, ri e chora, tangida pela incessante sucessão incontrolável dos *opostos*. Desejando ter sempre prazer e jamais sofrer, quem muito se ama vive como folha seca no vendaval.

Nenhum egoísta é poderoso o bastante para reter sempre o agradável e nunca ter o desagradável. Em suas frustradas manobras para ser feliz, indiferente a meios e consequências, sai por aí machucando a si mesmo e aos outros, esmagando e sendo esmagado.

Só é feliz quem partilha o amor que antes era dedicado exclusivamente a si mesmo. Só o amor altruísta permite ao homem não se deixar atingir pela inexorável alternância dos opostos.

DeusDeusDeus

Podemos esperar felicidade, segurança, paz, lucidez e liberdade enquanto nos apoiamos em coloridas aparências, ilusões, quimeras, encantos, fantasmas, irrealidades?! Pode alguém, no deserto, saciar a sede no lago da miragem? As coisas que nos distraem são evanescentes, portanto incapazes de aplacar a ânsia de ser feliz que inquieta e move os homens.

Nossa alma samaritana continua repetindo visitas ao "poço de Jacó" para mais uma vez apanhar da água, que apenas momentaneamente mitiga a sede. Até quando? Até havermos merecido encontrar o Cristo, que nos dará da "Água Viva" – sua Verdade –, bebendo da qual nunca mais a sede nos assaltará.

DeusDeusDeus

Quando nos deixamos apaixonar pelo impermanente, portanto ilusório, nos tornamos vítimas passivas de apegos e aversões – dois grandes geradores de estresse e, consequentemente, de enfermidades que maltratam e matam. A melhor terapia nos leva a nos apaixonarmos por Deus, o Eterno, Aquele que o tempo não consegue alterar, que é hoje o que sempre foi e jamais deixará de ser. Isso depende de se cultivar a renúncia para poder evitar apegos, e aprender a verdadeiramente amar para eliminar as aversões.

DeusDeusDeus

Makoto (a arte de viver) é uma palavra japonesa com validade universal e eterna, pois a vida deve realmente ser conduzida como a mais nobre das artes. Na arte de viver somos ao mesmo tempo o artista, o material plástico e a própria obra. Tenho pena dos que ignoram esse princípio e, alienados, vivem tensa e cegamente engajados na aquisição e impossível posse definitiva dos muitos evanescentes que lhes agradam.

Quando vejo um mendigo perdido em sua escuridão, a arrastar atrás de si e somente para si um amarrado de latas velhas, caixas de papelão e um patrimônio de rebotalhos, lembro-me imediatamente de atuais ricaços, também perdidos na ilusão mórbida de que, quanto mais propriedades registrarem em cartório, mais seguros e mais felizes serão. Nada sabem – coitados! – de makoto, a arte de viver. Perderam de vista o objetivo e a essência do existir. Neles, o *ter* aboliu o *Ser*. E isso é uma espécie de suicídio cósmico.

DeusDeusDeus

A paz que o mundo *vende* não reclama autodisciplina, renúncia, devotada e persistente busca. É de baixo preço. Charmosa, intoxicante, imediata e facilmente gratificante, a *paz mundana* não pode ir além de um paliativo sedutor que, embora temporariamente entorpeça e anestesie a tensão, não consegue suprimir sua causa, que é o permanente litígio interno martirizante; o choque permanente de diversos impulsos, necessidades, motivações, desejos, apegos, aversões, ressentimentos, fobias, insegurança, mágoas, deveres e aspirações a tumultuar e toldar o coração de cada um. A artificial paz mundana possibilita fuga imediata, bem-estar falso e lassidão transitória. O próprio Mestre, certa feita, comparou-a com uma *porta larga* e um *caminho folgado* por onde multidões de imaturos avançam inebriadas. Mas para onde? Ele próprio esclareceu – para a *perdição*. Somente a paz dada por Ele, o Cristo, implanta o definitivo armistício em nosso universo interior conflagrado. *"Deixo-vos a paz, a minha paz vos dou, não vo-la dou como o mundo a dá. Não se turbe o vosso coração"* (Jo 14:27). Há uma *porta estreita* e um *caminho apertado* à sua espera. Faça sua opção.

DeusDeusDeus

A cada dia, a cada observação de um novo caso, convenço-me de que são os níveis mais sublimes e sutis, mais luminosos, puros e universais de cada um de nós que detêm o maior poder de imunizar, desintoxicar, proteger contra a ação dos radicais livres, evitar distresse, aliviar e curar qualquer doença. Agir corretivamente com meios e procedimentos físicos sobre o corpo físico inegavelmente produz efeitos admiráveis. Mas os benefícios incomparavelmente maiores e duradouros provêm de níveis imateriais do nosso vasto sistema, desde o energético até o espiritual, principalmente deste. A ação salvadora de alcance ilimitado parte do campo de Infinita Realidade, da Onisciência, Onipresença e Onipotência de Deus, que, em essência e realidade, é Aquilo que você, os outros e eu somos.

DeusDeusDeus

A Graça Divina é abundante, contínua e onipresente. Igual à chuva que cai sobre a erva daninha e sobre a plantação de cereais, igual ao sol a iluminar o santo e o decaído, ela não para de jorrar sobre você, sobre seus amados e também sobre seus inimigos. Como vê, a Graça não discrimina. Mas, embora de graça, quem não paga adiantado não a recebe. Nada de parcelamento ou pagamento posterior. Que espécie da pagamento é esse?! Apenas o esforço para captá-la. A brisa está soprando sem parar. Há diversos barcos na baía: alguns com as velas abertas, aproveitando-a, estão singrando; outros, de velas negligentemente enroladas, desperdiçam-na, e estão parados. Os marinheiros daqueles "pagaram" adiantado o "preço" de desfraldar as velas. Um tolo, por preguiça, manteve o pote emborcado e, assim, nada recolheu da chuva. Um homem sensato, desemborcando o pote, se abasteceu da água que, equitativamente, se doara a ambos. Virar o pote foi o "pagamento antecipado".

DeusDeusDeus

A causa última e única de toda forma de doença, carência, limitação, angústia, debilidade, miséria pessoal e social chama-se *egosclerose*, a patologia que hipertrofia e endurece o ego pessoal. O *egosclerótico*, delirante, compassivamente repete para si mesmo e para os outros coisas assim: *eu sou muito importante; eu fiz muitas coisas boas; eu quero possuir mais, muito mais; eu quero gozar mais, cada vez mais; eu vou tomar o que é dele; eu mando mais que os outros; eu adoro estas coisas e pessoas e odeio aquelas outras; eu sou invencível; ninguém descobrirá minhas falcatruas; primeiro eu e os meus, e os outros que se danem; vou bater no torcedor do outro time; farei o que preciso for para não perder a eleição...*

Um outro tipo de doente, ao contrário, repete alucinadamente sentenças autodestrutivas: *eu só dou azar; eu vivo doente; eu sou um fracassado; eu sou um velho imprestável; eu sou um traste e ninguém gosta de mim...*

O remédio específico e eficaz contra a *egosclerose* chama-se *humildação*, que é a minimização do ego, cedendo o lugar a Deus.

DeusDeusDeus

Segundo uma lei da Natureza, que os iogues chamam "Lei do carma", sofrimento e alegria são criados por nós mesmos. Cada vez que agimos, somos como o lavrador no ato de semear. Nossas ações funcionam como sementes, que, no devido tempo, produzirão frutos. Esses só poderão ser da mesma espécie das sementes. Por exemplo, o solitário de hoje, embora não pareça, está colhendo a safra de egocentrismo que, no passado, ele mesmo plantou. Quem quiser se prevenir contra a solidão bem cedo em sua vida tem de praticar a solidariedade. Ninguém que seja solidário é ou virá a ser solitário. Ser solidário implica conviver em amor e concórdia com os demais e a prestar-lhes serviço. A solidão, bem aproveitada, é benéfica. Compreenda a solidão e descubra seu valor. Aproveite-a. Nela mergulhe com a mesma alegria que uma abelha mergulha na doçura da flor.

DeusDeusDeus

Se Jesus estivesse falando a hindus, bastaria mencionar a palavra *mumukshwa* e teria facilmente sugerido ao devoto que, acima de tudo e com total empenho, busque a Verdade (*jnana*), aquela verdade absolutamente indispensável à libertação das cadeias que amarram o homem à miséria e à roda das reencarnações.

Uma vez Ramakrishna ensinou que só alcançaremos a Deus quando sentirmos por Ele a mesma ânsia que um peixe retirado da água tem por ser à água devolvido, o mesmo anseio de uma criança que perdeu os pais dentro da multidão. Eis como o Cristo sugeriu o cultivo desta atitude psicológica de dedicação radical à conquista da Verdade que liberta: *Amarás o Senhor teu Deus com todo teu coração, com toda tua alma e com toda tua inteligência...* (Mt 22:37). Quem só parcialmente ama a Verdade continua sem ela.

DeusDeusDeus

No contexto dos Evangelhos, se compreendido segundo o Espírito e não segundo a letra, *rico* não é exatamente aquele que tem muitas posses, mas aquele que não é mesquinho, ambicioso e *apegado*, que se vê como simples administrador dos *bens* e *dons* pertencentes a Deus, único e verdadeiro dono de tudo e de todos. *Rico* é alguém que, embora dispondo de quase nada, sente felicidade em partilhar e prestar serviço aos necessitados. *Pobre* é aquele a quem sobram recursos, mas, ainda insatisfeito, procura enriquecer mais. O refrão popular – *o pouco, com Deus, é muito, e o muito, sem Deus, é nada* – sugere isso.

E você? O que prefere? O pouco abençoado por Deus ou o muito de costas para Ele?!

DeusDeusDeus

O homem alienado só temporariamente consegue escamotear a dor onipresente, aquela que Buda denominou *dukha*, os sábios gregos, *pathos*, e Jesus descreve como *choro e ranger de dentes*. Enquanto ainda em fase assintomática, a doença não chega a incomodar e, desta forma, por algum tempo, mas precariamente, nos permite ignorá-la. Nosso irresponsável e normal "brincar de existir" engoda-nos com fugazes alegrias, com vitórias e conquistas quiméricas, com a falsa segurança provida pela ilusão de que *possuímos* coisas permanentemente, pessoas e situações agradáveis, e com a embriaguez propiciada por medíocres prazeres vendidos no mercado. É bom considerar que a cura se torna mais fácil e menos onerosa quando a doença é corretamente diagnosticada. Mas o ser humano *normótico* lá quer saber disso? Foi para nos curar da dor existencial e para nos dotar de *vida em abundância* que tantas vezes o *Verbo se fez carne e habitou entre nós*. Foi por muito nos amar que tantas vezes o próprio Deus, por infinita misericórdia, se *avatarizou*, ou seja, nasceu como um de nós e viveu aqui como homem: Rama, Krishna, Chaitanya, Kapila, Buda, Sankara, Jesus e agora Sathya Sai.

DeusDeusDeus

Tenho atendido, em meu trabalho, a um número considerável de homens e mulheres que se sentem desprovidos, embora tenham vida abastada, temendo algo que não sabem o que seja, achando-se incompletos e vazios, embora jovens, de boa aparência, prestigiados na sociedade e na profissão; finalmente, sem motivos aparentes, inquietos, inseguros, ansiosos. Pobres angustiados para os quais (*felizmente!*) haveres, poderes, prazeres e afazeres mundanos deixaram de ser fonte de alegria, segurança e felicidade.

A meu ver, mesmo em alguns indivíduos em que parece ter acontecido "espontaneamente" o despertar espiritual, sempre atuou um doloroso clamor interno travestido com o que os psicólogos denominam angústia. Para mim, essa é uma das formas mais eficientes com que Deus bondosamente estende Seu convite a todos nós, crianças que se distraem inadvertidamente com as pseudofelicidades que compram do mundo. Para mim, angústia é saudade de Deus.

DeusDeusDeus

Num arquipélago, as ilhas se veem *distintas* e *distantes* umas das outras. Por quê? Porque nada sabem do solo submarino, onde todas se assentam. Nós também, na profundidade, somos um só. A plataforma que nos unifica e baseia é nossa Realidade e Essência. É a vastidão que todos somos, na qual, por ignorância, cada um se sente em mesquinha exiguidade. É a eternidade que somos, na qual, por ignorância, cada um supõe ser apenas um evento fugidio. Enquanto formos ludibriados pelo ego pessoal, nos sentiremos *distantes* e *distintos* uns dos outros. Nossa maior prioridade é nos darmos conta do que verdadeira e eternamente somos.

Precisamos vencer a ilusão que nos faz *distintos* e *distantes* dos outros e de Deus. O antídoto contra tão funesta ilusão é a Verdade que liberta. Conquistá-la é a empreitada máxima de nossas existências. Para tanto, temos de aperfeiçoar, aprofundar, purificar e intensificar nosso amor por ela através de serviço ao próximo, pois, como vimos, o próximo é também o mesmo Deus que somos.

DeusDeusDeus

Os *avatares* se sucederam ao longo dos milênios e, embora tenham ensinado a mesma Verdade, suas lições parecem diferentes porque bondosa e sabiamente as adaptaram às diferenças culturais. No entanto, aos olhos que conseguem enxergar e aos ouvidos que sabem ouvir, tais diferenças se extinguem. As divergências, reinantes na superfície, não persistem na profundidade. Só os verdadeiros sábios têm bastante fôlego para mergulhar nos abismos das escrituras que parecem diversas. Nas profundezas, encontram eles a mesma Luz, aquela que jamais se apaga. Os que não têm fôlego ficam boiando, cada um a tentar impor seus dogmas ou a doutrina a que aderiram como a única a ter valor.

Não importa em que quadrante o buscador tenha nascido ou esteja vivendo, sem o mergulho que atribua visão a seus olhos apagados e audição aos ouvidos moucos, continuará fascinado e retido por especulações intelectuais epidérmicas, acreditando, mas sem chegar a saber.

Se você quiser a Verdade, terá de mergulhar. Na praia só terá fragmentos de conchas. O tesouro está no Oriente, no Ocidente, no passado, hoje e no futuro, mas não numa determinada seita. Está na alma santa de todas as escrituras sagradas.

DeusDeusDeus

A palavra Evangelho significa "boa-nova". Existirá melhor notícia que aquela de o Reino de Deus estar dentro de nossas fronteiras individuais? Que maravilha! Apesar de mínimos, temos em nós a Vastidão. Embora mortais, a Eternidade está em nós. Imperfeitos, somos o germe da Perfeição indimensional do Pai. Sujeitos a aflições sem conta, somos potencialmente a própria Bem-aventurança.

O Cristo veio para guiar nosso esforço na busca do Reino, mas, como não engana, deixou bem claro que há tempos de avançar, de sacrifício em sacrifício, por "caminho estreito", eivado de pedras e espinhos. Para alcançá-la há de se vender tudo que se possua. Todas as lições do Cristo, direta ou indiretamente, sugerem o sacrifício daquilo que, por ignorância, amamos muito mais do que amamos o próprio Reino.

DeusDeusDeus

Raríssimos seres humanos sabem nitidamente *por que* e *para que* vivem e *para onde* estão caminhando. Raríssimos se dão o incômodo de eleger um objetivo para suas vidas. Nesse caso, quase todos somos *pecadores*, isto é, caminhantes sem rumo, sem meta. Um navio à deriva, sem bússola, sem leme e sem comandante vai se espatifar nos rochedos. A moderna ciência de administração ensina que o bom desempenho de uma empresa depende da exata definição do seu objetivo maior. Conosco é o mesmo. Não há empresa mais importante que nossa vida. Ignorar *por que* e *para que* viver, em meu ousado pensar, é o tão falado "pecado original", acuado como a causa primeira de toda miséria humana.

Não quero ser mais um *pecadocêntrico* na praça, falando mais de *pecado* que daquele que deve ser o verdadeiro e eterno Alvo Supremo de todas as vidas – Deus.

DeusDeusDeus

De que valeria a um indivíduo evitar cigarros, carne, açúcar refinado, enlatados, praticar ginástica, caminhada, meditação, oração, relaxamento, *asanas, pranayamas*, autossugestão positiva, internar-se num spa etc. com o objetivo satânico de melhorar seu desempenho de indivíduo ambicioso e avarento, amoral e sádico, visando agigantar sua conta bancária, com o propósito de mentir mais eficientemente, trapacear, trair, agredir, para mais facilmente corromper e corromper-se, para continuar negando socorro, indiferente à dor dos demais, para mais espoliar, desamar, destruir, enfim, conquistar todos os alvos perversos de seu canceroso ego?

DeusDeusDeus

Quando curava um doente, Jesus sempre dizia *vai e não voltes a pecar*. Suponho, estaria realmente dizendo: *para não voltares a adoecer, não continues atirando em alvo errado; não sigas abusando de teus equipamentos (corpo, energia, mente e intelecto), mas cumpre os preceitos das sábias escrituras; não mais te conduzas contra o dever que a Vida te atribuiu, conforme tua natureza individual; abandona a violência sob qualquer forma ou aparência; para de furtar, de mentir, de degradar a sacralidade do sexo e de ambicionar tanto; não continues a te intoxicar, a tão sofregamente desejar, a egoisticamente depender de gratificações mil, ignorando a fantástica Realidade que tu és; finalmente, não teimes em adiar tua incondicional submissão a Deus.*

DeusDeusDeus

Descartado o corpo, no momento da morte, alguns afirmam que nada mais restará de nós. Uma visão verdadeiramente científica discorda, pois que, além do *pó da terra*, temos a energia que vivifica o *pó*, também a mente, o intelecto, a sensibilidade, que continuarão existindo após largado o corpo. E ainda mais importante: somos essencialmente o Espírito imperecível. Tudo que transcende o corpo nada tem a ver com o *pó da terra*, enterro, tumba, extinção. Usamos transitoriamente um *corpo corruptível* (na linguagem de São Paulo), mas nós, *Espíritos*, somos a própria Realidade *incorruptível*. Os que se identificam com o *corruptível*, supondo equivocadamente não passarem de *pó*, têm certamente um grande motivo para temer e detestar a morte. No entanto, os que, mais ditosos, já abriram os olhos para a Verdade, tendo certeza de serem o *Espírito Eterno*, por que a temeriam e abominariam?!

DeusDeusDeus

Proteja-se contra a imaginação pessimista normalmente ocupada em fermentar um futuro tenebroso e em reabrir feridas ao evocar amargas lembranças. Ora, o futuro ainda não existe e o passado já deixou de existir. Cuidado com a ansiedade e a saudade mórbidas. Não tema pelo que ainda não chegou (e pode muito bem não chegar), nem lamente o que já se foi. Não consinta que a imaginação, subserviente a inoportunas *pré-ocupações* e *pós-ocupações*, tolde, empobreça e tumultue suas *ocupações* de agora. Viva alerta e conscientemente o precioso *agora*. Fique sempre presente *aqui*.

DeusDeusDeus

Porque *confio*, a Deus me *entrego*. Se minha rendição chegar a ser radical, irrestrita, incondicional, passo a dispor não mais de minhas frágeis armas individuais, mas da própria onipotência, a qual, administrada pela onisciência, me conduzirá vitorioso ao resultado mais sábio. A resposta à minha entrega pode vir, no início, paradoxalmente até mesmo na forma de uma piora, de um agravamento da crise e até de uma derrota aparente. Isso, porém, não deve abalar minha confiança, e é assim que *aceito* como o melhor. Se eu me agastar por uma resposta contraditória, é porque minha entrega e confiança foram apenas parciais e vacilantes. E é por saber que o mais sábio e justo me será concedido que antecipadamente *agradeço* à Providência. Tal atitude é minha eloquente declaração de amor a Deus.

São Paulo uma vez ensinou que *tudo* (tudo mesmo, seja o que for) *concorre para o bem daqueles que amam a Deus*. Note bem – somente *dos que amam a Deus*. Ame a Deus e nunca mais terá de chorar.

DeusDeusDeus

A psicanálise menciona a *projeção* como um mecanismo inconsciente pelo qual o ego, tentando marotamente escamotear seus próprios erros, falhas, incapacidades, pecados, insanidades, medos, indignidades e baixezas, lança-os de primeira sobre os outros. Convém lembrar que, *quando João fala de Alice, ficamos sabendo mais de João que de Alice*, que, *quando nosso indicador aponta para alguém, acusando ou condenando, três outros dedos apontam para nós*. A sabedoria popular vem em reforço, advertindo: *Macaco, olha o teu rabo senão vai haver o diabo*.

Para bem administrar nossas vidas, dependemos de um autodiagnóstico correto. Não acha? Isso depende de nos analisarmos honesta e corajosamente, a fim de identificarmos o que precisa ser mudado em nós, corrigido, evitado, purificado, retificado, superado, varrido, arrumado, suprido, suprimido, expurgado...

Quando nos surpreendemos falando mal de alguém, é hora de considerar que o outro pode ter no olho apenas um argueiro, enquanto no nosso temos uma trave desse tamanho!

DeusDeusDeus

Relativamente à santidade, continue de olho no objetivo longínquo, na Meta Suprema e não na posição em que você agora se encontra. Acautele-se contra a *autosseveridade*. Não se abata em lamentações por conta de suas fraquezas, escorregões e distorções eventuais. Mas cultive o equilíbrio para não vir a cair no extremo oposto, isto é, na *autocomplacência*, igualmente nefasta.

Quando se vir resvalando para o desalento por não ter avançado e mesmo eventualmente recuado um pouco, lembre-se do retumbante lamento de São Paulo – grande herói da fé: *não pratico aquilo que quero, mas faço o que detesto* (Rm 7:15).

Evitando a *autosseveridade*, seja caridoso consigo mesmo. Finalmente, você é ainda um simples ser humano.

Engaje corpo e alma na conquista da Meta Suprema. Faça como o comerciante da parábola – venda tudo que tem para poder comprar a mais preciosa das pérolas. Não desanime diante dos obstáculos que o adversário repetidamente levanta. Entenda que o *caminho é mesmo estreito*.

DeusDeusDeus

É sempre bom lembrar que mortalha não tem bolso e que o enorme fardo de nossos "bens", encarapitado às costas, esbarra na entrada do céu. De propósito, a porta lá é estreitinha. Não dá passagem a tanto bagulho (propriedades, condecorações, títulos, diplomas, prêmios, escrituras, citações em colunas sociais etc.). É prudente aprender a renunciar. O que não significa despojar-se de tudo e mergulhar de cabeça na indigência. Por que acrescentar mais um mendigo à sociedade? Administre seus bens, mas sempre os venda como empréstimo, o que realmente são. Ninguém é efetivamente dono de algo. O único dono de tudo é Deus. Não passamos de administradores transitórios de investimentos Seus. Tal compreensão induz e conduz à renúncia inteligente, que torna a vida mais bonita, leve e feliz, a vida quando já despoluída da neurose da ambição e da intoxicação do apego.

DeusDeusDeus

Orar em favor dos que nos querem mal, pensam mal de nós, falam mal de nós, nos agridem e atacam, nos traíram e roubaram é um bálsamo para nós e uma alavanca para melhorá-los e também para nos erguer aos céus. Esta é uma receita de Dr. Jesus Cristo:

Amai os vossos inimigos, bendizei aos que vos maldizem, fazei bem aos que vos odeiam e orai pelos que vos maltratam e vos perseguem (Mt 5:44).

Orar pelos que nos querem bem é bonito, mas por nossos malfeitores e detratores, lindíssimo. É um golpe mortal contra nosso verdadeiro inimigo – o ofendível, ressentido, vingativo e reivindicante ego pessoal, aquele que nos mantém isolados e diferentes do Ser Supremo, essência uma e única de todos nós. Gostaria de poder convencê-lo a ponto de, agora mesmo, levá-lo a orar por seus "devedores", pois isso é absolutamente importante para uma vida sadia e rica de paz, e principalmente para um glorioso porvir.

DeusDeusDeus

O mais ignorante dos homens sabe que a essência de todas as ondas é uma só – o vasto mar. Os seres humanos também têm uma única e mesma Essência – uma vastidão eterna, sempre a mesma. Homens e mulheres surgiram da Essência. Nela vivem e a Ela voltarão no final, e sem Ela não existiriam, mas, normalmente, a desconhecem e alguns presunçosamente a negam. A maioria, ignorando sua própria vastidão e eternidade, teima em supor serem apenas existências fugazes e débeis, imperfeitas e sem cor. Há mesmo aqueles que, rotulando-se ateus, renegam a Essência, igual a uma onda tolinha que não acreditasse no mar.

A sua Essência, a minha, a de todos, tem mil e um nomes, e um dos mais familiares no Ocidente dito cristão é Deus, do qual se afirma ser *Onipotente*, por estar presente em toda parte; *Infinito*, porque transcende o espaço; *Eterno*, por pairar além do tempo. É muito estimulante ficar sabendo que, em Essência, nós somos tudo isso também.

Na mais humilde ondazinha está a imensa e perene oceanitude.

DeusDeusDeus

Pessoas que se têm por *normais, normalmente* autoalienadas de Deus, em horas difíceis Lhe fazem orações aflitas, rogando que Ele afaste o amargo cálice. Se Deus, em Sua suprema sabedoria e misericórdia, não atender tal qual lhe foi pedido, arranja mais um inimigo. Com você está sendo bastante diferente. Assaltada por simultâneos problemas e dores, ainda assim sente a presença de Deus. Pudera – Ele é mesmo Onipresente! Mas milhões aprenderam a acreditar mais em sua *ausência*. Quanto a Deus, o indivíduo *normal* tem certeza de que Ele viveu há milhares de anos e agora vive isolado num céu inacessível.

DeusDeusDeus

Segundo aprendi, a refulgência do Amor dissipa as densas trevas do egoísmo. E expulsa o ego pessoal. O ego, o grande déspota, então deposto, cede o trono de nossa vida ao verdadeiro monarca – Aquele que é a causa sem causa de tudo que existe, no Qual tudo existe e ao Qual por fim tudo retorna. O Amor é a mais refulgente e difícil conquista humana. É ele que rompe as algemas e cadeias que nos prendem ao sofrimento e à morte. Refiro-me a desejos, apegos, aversões e medos, geradores de ansiedades, angústias, estresse e todas as formas de carências, debilidades e dor.

DeusDeusDeus

A realização espiritual, segundo a filosofia Vedanta, tem de começar pelo cultivo do discernimento (*viveka*), a fim de evitar opção equivocada, o grande desvio, a perda do rumo. Quem não tem discernimento confunde o indesejável com o desejável, não consegue ver paixão a algemar os imprudentes, nem o Amor a alforriar os sábios. Se você realmente preza sua liberdade, ame sempre. Quanto a apaixonar-se, pense e repense.

DeusDeusDeus

Agora, quando seu corpo padece tantas e tão aflitivas doenças, *normal* seria estar deprimido, desgastado, amargo, revoltado, protestando, desacreditando em Deus, como faz a maioria por muito menos. Com sabedoria, resignação, equanimidade e bravura, você conseguiu viabilizar a divina e onipotente Providência salvadora e, de acréscimo, com seu exemplo, está ministrando aula magna que ajudaria a milhões que, enquanto desfrutam saúde, poder e prazer, se esquecem de agradecer a Deus, mas, quando Ele deixa de atender plenamente às suas orações a pedir chuva em seus roçados e lucros sempre maiores, se agastam, se rebelam e até O maldizem.

DeusDeusDeus

O dinamismo universal e, dentro dele, cada existência individual padecem inexoráveis e sucessivas alternâncias. A noite sucede o dia. Depois da chuvarada vem novamente o sol. Dia de prazer pode ser véspera de pesar, e vice-versa. Hoje se constrói o que amanhã implodirá, e depois, sobre os escombros, nova construção se erguerá. É sempre assim. Ninguém se iluda. Só o ignorante toma as aparências do mundo como definitivas e imutáveis. E, baseado nesta crença, tumultua sua vida na tentativa de perpetuar as quimeras que lhe agradam e remover ou destruir definitivamente as que lhe desagradam. Quando conquista o que deseja, se rejubila e imprudentemente se apega àquilo, na ilusão de que será sempre assim. Quando, porém, é apanhado pelo que detesta, afunda em amargura, ansiando por um alívio que parece não existir.

Deus é o único refúgio.

DeusDeusDeus

Quando dificuldades vencem minhas insistentes e extenuantes tentativas de vencer, quando oprimido por avalanches irremediáveis, quando atacado por forças incontroláveis, quando um despojamento se torna inevitável, alcanço segurança e paz no ato de *entregar-me* a Deus, e, *confiando* que Ele só me destina o melhor, predisponho-me a *aceitar* incondicionalmente o que vier, e, para plenificar a submissão salvadora, antecipo meu mais sincero *agradecimento*. A misericórdia divina é infalível.

Deus sabe incomparavelmente mais o que em verdade nos convém, mesmo que nos chegue em forma de dor.

DeusDeusDeus

A Verdade é uma e única. Assim como a luz do Sol, é sempre a mesma. Tudo o mais é cambiável, por isso mesmo não verdadeiro, apenas aparência. Os seres humanos comuns defendem como sendo a Verdade suas amadas crenças, crenças que variam conforme o lugar e o tempo em que eles viveram ou vivem.

A humanidade em geral desconhece a Verdade-Lei Eterna. Os homens, em sua maioria marionetes do egoísmo, a transgridem e, assim, a luz se apaga neles e se tornam vítimas de toda sorte de sofrimento. Mas nenhum eclipse consegue definitivamente desbotar ou apagar o Sol. Ao longo da história, muitos foram os períodos de sombra densa. Quando a Terra padece um dos prolongados eclipses éticos e espirituais, os próprios homens vêm a ser salvos de sua merecida aflição pela interferência oportuna e misericordiosa do Supremo, que assume um nascimento humano, tendo a missão de reimplantar a Verdade-Lei Eterna no coração de cada um e assim evitar a grande devastação.

DeusDeusDeus

Para que terá servido viver se não chegarmos ao estado de devoção lúcida que você está agora vivendo intensamente e em sua carta expressou com palavras tão belas quanto inteligentes e grandiosas?

Mas por "tudo" dou graças a Deus...
Ele me faz sentir que não estou só e que, sadia ou doente, por Ele sou amada.
E, se tenho Deus, que mais posso querer?

Tudo isso indica que você aproveitou muito eficazmente a grandiosa oportunidade de ter nascido como ser humano. Parabéns e obrigada pela aula.

DeusDeusDeus

Rama, Krishna, Moisés, Maomé, Shankara, Jesus, Chaitabya, Ramakrishna, Ramana, Bahá'ú'lláh, Sai Baba, diferentes encarnações divinas de todos os tempos e os maiores luminares e preceptores da humanidade apontam o Amor como a estrada real para a meta suprema de todas as vidas – a libertação. Não vieram nos ajudar a adquirir e guardar valores efêmeros, mas valores eternos – felicidade, paz, luz e liberdade. E, sem o infinito poder do amor, isto se torna impossível.

Cumprir rituais e sacramentos, rezar, praticar caridade, penitência e meditar, quando em proveito do ego pessoal, na esperança de uma boa acomodação no céu ou uma futura encarnação vantajosa, deixam de ser procedimentos genuinamente religiosos porque são destituídos de Amor. Se os mesmos atos, no entanto, forem motivados pelo Amor e acompanhados pelo sentimento de renúncia, ao longo do tempo conseguem restaurar na alma o reinado do Ser Supremo.

DeusDeusDeus

A *universalidade* do Amor divino é semelhante à efulgência do Sol a distribuir-se equitativa e indiscriminadamente por toda a eternidade do Infinito e por toda a infinitude do Eterno. Quando se menciona que A ama B, está se falando de um relacionamento interpessoal, que, em muitos casos, é nobre e grandioso, santo e digno. São assim o amor conjugal, filial, maternal, paternal, fraternal etc., os quais, no entanto, e desprotegidos contra o megavírus do egoísmo, podem mesmo gerar sofrimento. Os que começam a enxergar vislumbres da unidade da Vida, da unidade da Essência começam a amar não somente a si mesmos e aos seus, mas a todos e a tudo.

O Amor *universal* é a senha válida para o acesso ao Reino da Bem-aventurança Eterna.

DeusDeusDeus

Quando você conseguir remover as densas nuvens que lhe toldam a capacidade de distinguir o joio do trigo, optará pelo correto e santo, amoroso e puro, redentor e espiritual. Tal opção não implicará repressão, porque não foi imposta por algum velho código de ética, por uma autoridade externa, nem pelo medo de castigo, mas consequência de abençoada compreensão, intuída pelo eterno fulgor de sua própria Luz.

Esse seu medo de amar, portanto, pode ter sido engendrado por uma avaliação das coisas segundo uma ótica religiosa primitiva, repressora. Deus nos quer inegoisticamente amando – homens e mulheres, feios e bonitos, bons e maus, moços e velhos, quem nos afaga e quem nos maltrata...

Eu também tenho achado isso difícil. Mas é o que resolve. E para chegar a fazer assim é que aqui estamos, neste planeta-escola.

DeusDeusDeus

Todos podem prestar serviço. Só é preciso sentir compaixão, minimizar o ego, renunciar ao "faturamento", entregar-se irrestritamente a Deus e começar pra valer. Quem não pode, por exemplo, orar pelo necessitado, oferecer compreensão e uma palavra de incentivo, escutar uma queixa...? Uma vela acesa acende inúmeras outras sem nada despender. Se você acender sua própria chama, para onde for e aonde chegar dará um chega-pra-lá nas trevas. Afugentar a escuridão não é uma ajuda magnânima e magnífica?

DeusDeusDeus

O maior dos terapeutas receitou: *Tudo aquilo, portanto, que queirais que os homens vos façam, fazei-o vós a eles.* É assim que um mendigo crônico consegue instantaneamente transformar-se em rico doador. Ora, se até hoje você tem mendigado que o compreendam, antecipe-se e ofereça compreensão. Se deseja amor, adiante-se e comece a amar. Se gostaria de ser servido, por que não se antecipa e começa a servir? Não terá de ir longe à procura de quem precise.

Em toda parte alguém precisa de algo, nem que seja de um ouvido caridoso disposto a escutar.

DeusDeusDeus

Quem teme a morte, embora possa se autorrotular espiritualista, é de fato materialista, para quem a matéria é tudo e a morte, portanto, a sua extinção. Acabado o corpo, restaria nada. O materialista dogmático acredita que a destruição do receptor de rádio destrói também o programa, a frequência da estação, e que nem mesmo a eletricidade sobraria. Que estranho, não é? Tal crença, até recentemente, ainda se firmava em já descartados dogmas científicos. Mas, hoje, a pesquisa científica avançou tanto, principalmente na Física Quântica, que a tese materialista morreu, mas teimosamente ainda resiste em se dar conta disso. O materialismo acabou por falta da matéria. A matéria é tão real quanto o gelo que, aquecido, se derrete e some, quanto o fantasma que se vê num toco de árvore no breu da noite.

DeusDeusDeus

Jesus Cristo enfaticamente definiu o objetivo a ser atingido por todos os homens – a Perfeição Suprema. "*Sede perfeitos como o vosso Pai Celestial*", sentenciou. Parece demasiado. Quem sou eu para chegar até lá?! Embora imperfeitos, somos no entanto infinitamente perfectíveis, senão o Cristo não teria dito aquilo. Mas como o indivíduo comum conquistará a perfeição do Pai durante uma única vida?! Se ao menos acreditássemos em outras chances existenciais para investi-las em tal empresa, seria encorajador, não é? Os reencarnacionistas se sentem, por isso mesmo, mais esperançosos. Seja contando com muitas vidas ou tão somente uma, para tão ciclópica empreitada o cristão tem no Sermão da Montanha a indicação de como fazer; o budista deverá seguir a Senda Óctupla; o hinduísta, o *Bhagavad Gita*; o muçulmano, o *Corão*; o judeu, o Talmude... Qualquer um deles deve compreender e praticar – em espírito e verdade – o ensino de tais divinos roteiros. Para quem tomar por objetivo o mero sucesso mundano, a coisa é bem fácil. Basta cumprir o roteiro da mediocridade.

DeusDeusDeus

A salvação da sociedade e do planeta, segundo Sai Baba, depende de as crianças serem educadas e os adultos se autorreeducarem para os cinco valores tipicamente e exclusivamente humanos. A saúde e a vitalidade, a segurança e a estabilidade de cada indivíduo e da comunidade como um todo repousam na conquista e no desenvolvimento desses preciosos valores. Por estarem hoje tão desprestigiados, o mundo padece e se intimida, se convulsiona e desagrega, resvalando para a grande devastação.

A um ser humano que não cultive e cultue a *veracidade*, a *retidão*, a *equanimidade*, o *amor* sublimado e a *mansidão* inteligente, não importa sua anatomia ser a de um homem, falta *hominitude*. Ele está, portanto, mais próximo dos animais. Que estes me desculpem.

DeusDeusDeus

Na sofreguidão da busca, não cometa a imprudência de confiar demasiado naquilo e naquele que, à primeira vista, melhor lhe pareçam. Cautela! Desconfie. Observe. Estude. Analise mais. Pesquise. Nada de pressa. A ansiedade "abre a guarda", e, na avidez de encontrar logo, você se arrisca a ser traído pelas aparências mais atraentes. Esta advertência é sempre válida, especialmente na procura de um "mestre espiritual", na busca de definir sua missão pessoal no universo, na ânsia de afiliar-se a uma nova seita e na "caça" a um companheiro ou companheira para partilhar a vida.

Em vez da ansiedade imprudente, consulte a Deus e Nele se refugie. Estando com Deus, em vez da quietude, a doçura da entrega. Isso naturalmente implica a disposição de aceitar o que Ele lhe intuir. Tenha a certeza de que na hora oportuna Deus lhe inspirará a melhor opção. Se sua entrega for incondicional, não sobrarão incertezas e inquietudes. Quando você era uma criança indefesa, se aninhava no aconchego dos ternos braços maternos, e a segurança e a paz eram então perfeitas. É eternamente válida a sugestão *não vos inquieteis pelo dia de amanhã*. Por que teria Jesus assegurado os tesouros do Reino àqueles que voltassem a ser criancinhas?

DeusDeusDeus

Há dois mil anos o Dr. Jesus Cristo receitou como remédio *orai e vigiai* para qualquer forma de sofrimento existencial. É terapia infalível contra todas as enfermidades, as conhecidas e as ainda ignoradas.

Vigiar o quê? A mente. Para quê? Para identificar suas – conscientes e inconscientes – tendências, turbulências, inclinações, apetites, motivações, obsessões, medos, inseguranças... a fim de evitar que, por um lado, desencadeie seu fantástico poder desestabilizador, e, por outro, fazê-la funcionar como polivalente e eficaz propiciadora de segurança, liberdade, vida, saúde, paz e bem-aventurança.

Orar por quê? Porque sem o onipotente respaldo divino torna-se proeza impossível vencer a normal rebeldia da mente, que, além de poderosíssima, é genialmente esperta, surpreendentemente ágil e obstinadamente refratária a qualquer disciplina. Para administrá-la, torna-se indispensável ter o Senhor Supremo como aliado.

DeusDeusDeus

Os iludidos, que são a maioria, não chegam ao céu. Atraídos e distraídos por alucinações, fantasias, quimeras, fascinações e aparências, ora douradas e deleitosas, ora dramáticas e dolorosas, se extraviam. Só uma grande *des-ilusão* às vezes pode salvá-los.

Aquele que sereno, equânime e sem dramas se *des-iludiu* (*des-encantou*, *des-mistificou*, *des-enganou*) alcança a lucidez necessária que o leva a optar pela *porta estreita* e pelo *estreito caminho* que conduzem ao Eterno pelo qual aspira.

Pensar nisso me fez fundar uma nova *religião*, a qual, naturalmente, quanto a adeptos, está praticamente zerada. Denomino-a *desilusionismo*. Sugiro a meus "correligionários" festejarem cada *des-encanto* que lhes ocorra.

DeusDeusDeus

Quando você reconhecer o valor positivo da solidão, ficará sabendo que ela não dói. Não incomoda.

O sábio, consciente das imensas fontes de energia, paz, liberdade, luz e felicidade em seu Reino Interno, não teme e nem amarga a solidão. Ao contrário, acata, assume e mesmo procura ficar só. Solitário, silenciando e aquietando a mente, adentra seu universo íntimo no sagrado e pertinaz empenho de *des-velar* a Realidade, até então *velada* pelo burburinho cotidiano. O mesmo sábio, que tanto curte a solidão, quando entre os demais, convivendo, não solitário, aproveita e se solidariza, ofertando amor e serviço.

Descubra você também o doçura de ser solidário e nunca mais sentirá amargura quando solitário.

DeusDeusDeus

Segundo Cristo, "rico" é todo aquele que, humilde e contente, sem ambição, sem inveja, não se angustia pelo que ainda não tem, não braceja para reter indefinidamente o que já tem, é generoso e encontra felicidade em doar e ajudar. Finalmente, mesmo quando detentor de muitas posses, não se deixa por elas possuir. Sabe que nada é exclusiva e eternamente seu e o que parece ser não passa de eventual empréstimo, por cuja administração deverá prestar contas na hora da devolução inevitável. Em verdade, todo homem é um administrador de grandes bens que Deus nele investe. O bom administrador não desperdiça nem deixa o investimento improdutivo; ao contrário, consegue bons dividendos.

Deus investiu um imenso patrimônio em você – o corpo material, o potencial energético, a capacidade de sentir e pensar, o tempo, o espaço e, finalmente, a riqueza que é simplesmente existir.

Que espécie de administrador você tem sido? Perdulário? Negligente? Inoperante? Diligente? E... quando o Investidor chamá-lo para o "ajuste de contas", como vai ser...?!

Não quero inquietar. Somente lembrar.

DeusDeusDeus

A maioria das pessoas busca sofregamente sua felicidade pessoal. Quando, pela oração, uma pessoa comum se aproxima de Deus, em geral é para pedir somente para si e para os "seus". Sua religiosidade é centrada no próprio ego pessoal e não em Deus. Indo a igrejas, centros, terreiros, templos, sinagogas, mesquitas, ao procurar "gurus", academias de Yoga; consultando adivinhos, "entidades", "magos", praticando técnicas para conquistar "sucesso", procurando o traficante ou a farmácia, quando se empenha por poder político, econômico e paranormal, e até quando, em campanhas de "caridade", intimamente se pergunta: *Que vantagem eu levo nisto?* Nestas diversas formas de buscar, alguma conquista pode ocorrer. E o buscador sente alívio, alegria, prazer e vitória, supondo ser feliz. Mas quanto tempo durará a festa?

A festa de um egoísta invariavelmente é quimérica, portanto traiçoeira.

A Felicidade só está disponível àquele que consegue renunciar, abnegar-se e jogar pela janela o egoísmo e até sua *normótica* obsessão por ser feliz.

DeusDeusDeus

Ilusória é a felicidade buscada no *prazer* e no *poder* materiais. Com o correr do tempo, ambos inevitavelmente acabam. São fugidios, falsos, evanescentes, frágeis, embora indiscutivelmente sedutores. E tem mais: quando cessam, deixam um tremendo vazio, amargo e perturbador. O vácuo do *prazer* é o *pesar* e o do *poder*, a *debilidade*. Pobre de quem constrói sua casa sobre alicerces tão enganosos.

Os santos, mesmo quando martirizados, conseguiam ser felizes. Por outro lado, não são raros os suicídios de grandes astros e estrelas que faziam delirar imensos auditórios populares, e coitados dos supermilionários e autoridades da política. O *prazer* e o *poder* verdadeiros são espirituais e estão mais com o frágil Mahatma Gandhi que com os musculosos monstros, "demolidores do futuro" e todos os ditadores e ricaços enfatuados.

A Felicidade tão buscada, por incrível que pareça, já está conosco, dentro de nós, pois ela é a verdadeira natureza essencial e perene de cada um. Quando prazer e poder tenham perdido o sortilégio de nos atrair e distrair, aquilo que em realidade somos, isto é, a própria Felicidade, se manifestará de corpo inteiro. Então é só tomar posse.

DeusDeusDeus

Vem sendo intenso e extenso o marketing da Nova Era. Entendo, porém, que o primordial e prioritário, de que poucos se lembram, é *fazer morrer o "velho homem" para dar nascimento ao "novo homem"*, conforme a preciosa proposta de São Paulo. Minha contribuição pessoal para o ansiado advento da Nova Era é o esforço de fazer brotar e crescer em mim o *"novo homem"*, em detrimento do *"velho homem"* que resiste e se rebela, pretendendo prender-me na jaula desta era gasta e intoxicada por hipocrisia, injustiça, irretidão, desamor, desarmonia, conflito, gozo pervertido, violência...

Não acredito que a Nova Era sobrevenha pela ação externa de algum superlíder, de alguma bem-intencionada revolução social, política, doutrinária, jurídica, psicológica, religiosa...

O único líder que pode gerar a Nova Era, pelo menos para mim, é o próprio Deus vivendo entre nós. Minha reeducação interior é Ele que dirige, aperfeiçoando-me na Verdade, na Retidão, na Paz, no Amor e na Não Violência.

A Nova Era não acontecerá sem esta purificadora autotransmutação.

DeusDeusDeus

Não se deixe dominar pela convicção funesta de ser vítima indefesa da parte imersa de seu "iceberg" pessoal. Tal fatalismo destrói. Esmaga.

Tendências, impulsos, necessidades, dependências, fobias, paixões e "sei lá mais o quê", originárias da infância desta vida e de vidas anteriores, influenciam, pressionam, interferem efetivamente na parte emersa do mesmo "iceberg", conforme ensinou o sábio Patanjali e, milênios após, os geniais S. Freud e Jung. Esteja certo, porém, de que em sua parcela inconsciente há muito mais luz que sombra, bem mais saúde que insanidade... Há divinas potencialidades, germes de genialidade, um tesouro de pureza, claridade, verdade, paz e felicidade sem fronteiras.

Causas remotas e ocultas podem estar produzindo em você efeitos perturbadores – é científico. Entretanto, pelas mesmas leis científicas, causas boas que você semear hoje germinarão, florescerão e frutificarão boas consequências no futuro. Da mesma forma como hoje você é influenciado por seu antigo ontem, seu amanhã, por certo, poderá ser venturoso, caso administre cuidadosamente seu hoje. Nenhuma moeda tem apenas uma face. Por que o inconsciente seria exclusivamente feio e fétido?!

Acredite mais em seu ainda desconhecido potencial cósmico e permita-lhe cada vez mais edificar seu hoje e seu amanhã. Esta é uma terapia sábia e eficaz contra o fatalismo até agora culturalmente cultivado.

DeusDeusDeus

Só nos libertamos da aflição quando nos avizinhamos da Bem-aventurança. Só a proximidade da Perfeição nos livra das imperfeições. Temos de caminhar para a Luz se queremos sair das trevas. Sem que nos liguemos à Saúde, continuaremos doentes. Continua fraco aquele que se mantém afastado do Poder. À medida que avançamos em direção à Liberdade, caem as algemas, cessando o cativeiro. A carência acaba na presença da Fartura. A terapia definitiva e polivalente indicada para todas as idades consiste na diminuição da alienação que nos afasta do Ser Supremo. E isto se consegue minimizando e desativando o ego pessoal, responsável por nos sentirmos *distintos* e *distantes* de Deus, distintos e distantes do próximo.

DeusDeusDeus

O maior *pecado* de um jacaré é rebelar-se contra sua *jacaretude*, é não se comportar *jacaremente*. Coitado dele se, digamos, tentar conduzir-se feito macaco. Igual a todo desajustado, inevitavelmente ficará neurótico, perderá qualidade de vida. A sobrevivência e a saúde de qualquer ente depende de ele cumprir seu papel específico no imenso palco da vida. Um relógio deixa de sê-lo quando não marcar o tempo. Já não é fogo aquele que se nega a iluminar e aquecer. Nada existe sem um papel, uma tarefa, um dever específico necessário à imensidão cósmica. Um ser que não cumprir o que deve perde sustentação e, portanto, degenera. Não somente ele, mas todo o sistema do qual fizer parte. Os sábios da Índia denominam *dharma* o comportamento específico que a Vida Universal designa para cada ser. Reflita sobre isso.

Para começar, questione-se – *o que a Vida Universal espera de mim?*

DeusDeusDeus

Dessa ou daquela forma, todos podemos ser úteis. Quem não pode, por exemplo, orar pelo aflito, ser compassivo com os que erram, sugerir caminho a quem se vê perdido, dar uma palavra de incentivo ao abatido, oferecer companhia ao que amarga solidão... Há inúmeras outras maneiras simples e eficientes de ajudar. Qualquer pessoa tem algo a dar que a outros falte. É o seu caso.

Pobre não é aquele que não tem, mas aquele que pede. Rico não é aquele que tem, mas aquele que dá.

Prestação de serviço só nos aproxima de Deus quando não maculada pelo desejo de colheita dos doces frutos da boa ação, pela expectativa de reciprocidade e gratidão do beneficiado, quando não poluído pelo projeto de arrancar de Deus alguma "graça" ou um galardão especial. Sendo assim, vira barganha marota. Coisa própria do "mega-adversário" de cada um – seu luciferino ego pessoal.

Mas nada desejar em troca é dificílimo! E daí?! Comece a treinar.

DeusDeusDeus

Viver de ansiedade em ansiedade, de um desejo a outro, de medo em medo, de uma aversão a outra etc. desestabiliza, inquieta, estressa, fatiga e inviabiliza a harmonia e a saúde. Que pode ser feito? Cultivar *contentamento* e *equanimidade*.

Contentamento vacina contra o vírus da ambição obsessiva.

Equanimidade protege contra a inquietude resultante da incessante e inevitável sucessão dos "opostos" que a existência nos impinge: gosto e desgosto, ascensão e queda, lucro e perda, claro e escuro, abatimento e euforia, berço e túmulo, ser admitido e ser demitido...

A associação desses dois remédios oferece terapia mágica contra muitos e variados vilões, como hipertensão, imunodepressão, oxidação, cardiopatias, úlceras, insônia, impotência, obesidade, síndrome do pânico...

Equanimidade e *contentamento* não dependem de droga. Só de você.

DeusDeusDeus

A forma mais eficiente de vencer crises desafiadoras e até desesperadoras, acima de nossas forças, não é o tão normal lutar frontalmente contra o inelutável, mas o contrário, o negar-se à luta, parar de brigar. Vencer sem lutar é o ideal. E é possível?! Pergunte a Mahatma Gandhi como conseguiu vencer o poder do leão britânico. É isso que, em livros anteriores, tendo sugerido para bem administrar estresse, crise asmática ou hipertensiva, insônia persistente, impotência sexual preocupante, úlcera péptica, finalmente, mil e uma doenças rotuladas psicossomáticas. Ora, ninguém consegue adormecer enquanto *lutar* para vencer a insônia. Se o insone, em vez de brigar, relaxar e se entregar confiante à ação divina, encontrará alívio, alcançará a paz. Só desfrutando a paz, docemente adormecerá.

DeusDeusDeus

Quando sinceramente arrependido e disposto a lavar as manchas do passado, não faça votos heroicos nem assuma o pesado compromisso de nunca mais repetir tal erro. Opte por entregar-se a Deus, pedindo discernimento e força. Discernimento para identificar o erro ou a predisposição de errar. Força para se negar a uma recaída, e, indo além, corrigir e ressarcir os outros pelos danos que lhes causou. Se vier novamente a errar – finalmente ainda somos humanos –, não se abata nem se entregue ao chão e, veementemente, rechace autorrotular-se de fraco, pecador, vencido ou fracassado. Erga-se. Não lamente, nem se desalente, nem se revolte. Insista em submeter-se a Deus, pedindo "reforço".

Só estamos perdidos quando ainda não conseguimos nos entregar confiantemente ao Onisciente, Onipotente e Onipresente.

DeusDeusDeus

Amar a Deus bem acima de todas as coisas e *Amar* o vizinho (ou vizinha) como e quanto (*já!*) amamos a nós mesmos minora a dor, rompe grilhões, vence debilidades, cura enfermidades, alivia angústias, supre carências e apazigua íntimos conflitos. Veja bem – Ele não recomendou *nos apaixonarmos* por um vizinho ou vizinha, a ponto de nos tornarmos dependentes e mendicantes, gozando quando gratificados e sofrendo quando não. Ele disse: *amai-vos* uns aos outros. Isso implica desapego, renúncia, liberdade e liberalidade.

DeusDeusDeus

O homem de muitas posses se ajoelhou humildemente diante do Mestre e perguntou-lhe com sinceridade como conseguiria chegar ao "Reino de Deus", que ele verdadeiramente desejava. Era uma pessoa de religiosidade *normal*, pois que, desde jovem, vinha cumprindo os mandamentos de Moisés. Mas havia um único obstáculo a lhe tolher os passos – era o tão *normal* apego às *suas* "posses", o tão *normal* desejo de manter, somente para si, pessoas, coisas, convicções e status, que supunha seus, exclusiva e definitivamente seus. Não foi Cristo que inviabilizou ao homem rico o acesso ao "Reino". Foi ele mesmo que, *normoticamente* se agarrando a *seus* transitórios "bens", renunciou ao Eterno Bem.

DeusDeusDeus

Não continue a chorar a morte de seu familiar. Ninguém morre. Apenas descarta o corpo já imprestável. Pare de afligir-se e lamentar um ato já irreversível. O mais conveniente é compreender sabiamente esse fenômeno universal inevitável – a partida de um ser amado. Seu abatimento está afligindo não somente você e seu cônjuge, conforme você percebe, mas, sem que perceba, também seu próprio familiar. Tem sentido alimentar tristeza em você, em seu familiar e em seu cônjuge? Vale a pena causar tamanho estrago? Se seu desejo é ajudar seu familiar onde quer que ele esteja, entregue-o a Deus.

Você quer a ajuda de Deus? Tenho certeza que sim. Pois Ele só está esperando que você afaste a tristeza e repita sempre, com total sinceridade: *entrego, confio, aceito* e *agradeço*.

DeusDeusDeus

É normal mencionar a palavra carma para explicar sofrimento como punição por males já praticados. A tese é correta. Mas toda dor é punitiva? Não. Considere seu caso. Se você tivesse um passado de muita culpa e pouco merecimento, estaria agora curtindo merecida e corretiva pena. Mas... Que males danados andaram praticando os mártires da cristandade – Estêvão, Paulo, Pedro etc.? Como entender a vida sempre dolorosa dos santos de todos os tempos e todas as religiões?

Ouso pensar que nos homens bons e puros o padecimento funciona como teste aplicado ao candidato a uma promoção. Do diamante ao brilhante há um doloroso processo de lapidação. A cana só se transforma em açúcar depois de cortada, passada na moenda e queimada no tacho. Da espiga ao pão, o trigo sofre um bocado. Acredito que quanto mais o Senhor nos ama, mais nos submete a duras provas.

Quando sofrendo, não temos como saber com exatidão se estamos pagando dívida ou galgando mais um degrau. Em qualquer dos casos é a misericórdia divina em ação. Não parece? Por que então choramingar?

Se você sofre, meus parabéns! Não é bom zerar um débito ou ser promovido?!

DeusDeusDeus

Se você procura tão vigorosamente ser *feliz* é porque *felizmente* já se sente *infeliz*. Paradoxal este *felizmente*?! Não! Não mesmo!

Bilhões de pessoas em todo o planeta, *infelizmente* ainda vítimas de cegueira espiritual, ainda incapazes de diagnosticar sua própria *infelicidade*, iludidamente se têm por *felizes*.

O "filho pródigo" também, no começo, fascinado, rendeu-se à pseudofelicidade oferecida pelo mundo. Por isso mesmo, imprudentemente se alienou da *felicidade* verdadeira – a casa paterna. Convencido de ser *feliz*, entregava-se sem reserva à fascinação que o atraía e ao mesmo tempo traía. O que mais queria era desfrutar a qualquer preço. *Infelizmente* por ainda se sentir *feliz*, afastou-se demais, até ser tragado pela dor mais suportável. O fardo de sua miséria chegou a pesar tanto que lhe amadureceu o discernimento. Só então, *felizmente*, tendo condição de se reconhecer *infeliz*, optou pela volta ao convívio com o Pai, reconquistando, assim, a Felicidade Suprema que outrora, seduzido pelo mundo, abandonara.

DeusDeusDeus

Não é o ser divino e eterno em você, mas o Fulano de Tal que o espelho lhe mostra – seu ego pessoal – que vem farejando novas religiões, ocultismos, seitas, sociedades secretas, fraternidades, mestres espirituais, ritualismos, talismãs etc. A troco de quê? De segurança psicológica. Inúmeros outros, igualmente inseguros, também vivem por aí à procura de *aquisições* diversas, como poderes mágicos, destaque na hierarquia sacerdotal da seita, vivências astrais, devaneios espiritualoides, a bênção de um novo "profeta" ou "guru", privilegiada vaguinha numa nova Arca de Noé para ser um dos raros a serem salvos da catástrofe...

Uns poucos adoram ser adorados, posando de "gurus", e andam por aí a faturar discípulos tolos...

Tudo obra do ego, sempre o ego tinhoso, que ansia por se firmar e afirmar, inviabilizando assim, em si mesmo e nos outros, a religiosidade genuína, aquela que culmina na união redentora com Deus. Enquanto o ego pessoal inquieto reivindicar alguma coisa, como, por exemplo, um pseudoprogresso espiritual, festejando quando alcança e padecendo quando não, a Meta Suprema é preterida. A melhor religião consiste em extinguir o ego nas labaredas do Fogo Divino. Só isso!

DeusDeusDeus

Aconselha a sabedoria que, ao servir a um necessitado, procuremos ver não só sua figura humana oprimida pelo sofrimento, mas Aquilo que não aparece – sua essência divina. Quando o conseguimos, passaremos a servir ao próprio Deus. É normal supor que *nós* ajudamos, *nós* amparamos, *nós* fazemos esse e aquele bem. Precisamos mudar e passar a creditar a Deus todos os méritos, totalmente convencidos de sermos apenas instrumentos que Ele manuseia.

Transformados em ferramentas dóceis em Suas santas mãos, multiplicam-se nossas forças. Nossa lucidez resplandece, renunciamos recompensas, a fadiga não nos alcança e... Já ia completar, dizendo: *alcançamos a felicidade*. Mas me detive. Seria meu ego marotamente me traindo em sua teimosia de faturar felicidade.

DeusDeusDeus

É maravilhoso aperfeiçoar, aprofundar e intensificar o diálogo com Deus. Em verdade Ele sempre esteve, está e infalivelmente estará Se doando no milagre da Sua Graça, que jorra generosa, abundante, em toda a parte, sobre qualquer um, indiferentemente se santo ou pecador.

A parte Dele está sendo feita. E a nossa? Que precisamos fazer para captar a Graça sempre disponível?

A Graça é feito chuva, fertilizando generosa e indiscriminadamente a plantação e o "mata-pasto". Quem não desemborcar seu pote, que razão terá para reclamar e pedir mais chuva? Desvirar o pote é tudo que temos de fazer.

Agora que já sabemos da disponibilidade da Onisciente, Onipotente e Onipresente Graça Divina, podemos continuar estagnados e indigentes, a gemer pelo que nunca nos foi negado?

DeusDeusDeus

Aproveite a experiência desta hora e aumente a capacidade de não se deixar engodar e seduzir pelas aparências... tanto que não chegue a tomar o fugaz por eterno, o cambiante por imutável, o falso por verdadeiro, o acidental por essencial... Um afiado discernimento é nossa proteção. Aprimorá-lo é prioridade. Infelizmente, a maioria não pensa assim. O *normótico* prefere o afago das ilusões à valentia de desmascará-las. Ninguém jamais me procurou alegre por ter se *des-iludido*. Ao contrário, muitos chegam se sentindo amargamente, ou pelo antigo credo em que tanto confiavam, aos quais tanto se entregavam, dos quais muito esperavam. Por que tais pessoas se espantam quando as estimulo a festejar a *des-ilusão*? Certamente porque estavam adorando ser iludidas.

DeusDeusDeus

Ludibriados, chegamos a dizer "eu *sou* Fulano". O verdadeiro e correto seria dizer "eu *estou* Fulano". Aquilo que realmente *somos,* isto é, o Espírito Perfeito e Imortal, que não goza nem sofre, não envelhece, não morre, *a água não o molha, o vento não o seca, o sabre não o corta, o fogo não o queima;* não se desespera e deprime na perda de um parente, na falência da firma, na toxicomania de um neto... Um drama a que você assiste (no palco ou em filme) lhe exibe uma sequência de tragédias, alegrias, mortes, vitórias etc. fosse você pessoa imatura, a ponto de identificar-se com o que se passa naquele mundo de mentirinha, choraria, gargalharia, se exaltaria, se deprimiria, se estressaria... Que tremendo mal causaria a si mesmo!

Pessoas psicologicamente maduras não se deixam afetar emocionalmente, nem mesmo com o drama cotidiano que costumamos erroneamente denominar "*a realidade* em torno de nós".

Para se tornar cada vez mais equânime, portanto mais lúcido, criativo, providencial, eficaz, comece a progressivamente desmascarar as ilusões, que são tão *normais* nas vidas de pessoas *normais.* A primeira delas é este seu ego pessoal, a *persona* que você tem acreditado ser. Tenha sempre em vista que esse seu ego *também vai passar,* como a água da enxurrada.

DeusDeusDeus

A felicidade perene não pode ser *aquela que no passado teve início, aquela que foi engendrada e conquistada, mas que em determinado dia cessará.* Não a procure, portanto, na matéria, e sim no Espírito. Por quê? Porque a matéria teve um começo e por isso virá a ter fim. Por que procurar no Espírito? Porque é sem começo e inextinguível, portanto eternamente o mesmo. Você se contenta com uma felicidade fugidia? A felicidade material *está* agora, mas daqui a pouco não mais *estará*. A felicidade espiritual sempre É. É *Aquilo* que cada um de nós em verdade e eternamente É. Não depende do tempo que flui, nem do espaço que limita. A Verdadeira Felicidade, denominada *Ananda*, é o Ser Supremo que o homem em realidade e essencialmente É, mas a ignorância o impede de encontrar e desfrutar. A Divina Bem-aventurança que somos não pode resultar, portanto, de tecnologia eletrônica, química, psicológica ou mágica, atualmente em oferta no mercado. Só é alcançável por um libertador e definitivo apercebimento, que nos desidentifique com o corpo, com a mente e com a personalidade transitória, e viabilize a simultânea identificação com o Ser Supremo.

A Bem-aventurança só se plenifica no vácuo deixado pela extinção do ego pessoal.

DeusDeusDeus

Os infelizes agridem. Os felizes agradam. Cultivar a Não Violência é o caminho para a felicidade. Toda truculência é sintoma de conflito, vazio, tédio, rancor e medo, que intoxicam a alma imatura. Uma pessoa sábia é espontaneamente mansa e benevolente, pois já se libertou de desejos, apegos, medos e aversões. Comungando com a Unidade Essencial de todos os seres, o sábio já expurgou o egoísmo que embota o homem bruto. Por tanto amar a si mesmo, o egoísta, permanentemente ofendível, é um violento defensor de seus mesquinhos interesses e um feroz inimigo de seus desafetos. O estado de Não Violência é natural no homem isento do obsessivo desejo de possuir, dominar, crescer e mandar. Procure imunizar-se contra o ódio e a predisposição para agredir. Lembre-se: sabedoria gera Não Violência, e esta, por sua vez, frutifica em sabedoria. Eis um feliz círculo supervirtuoso.

DeusDeusDeus

Nesta era negra de marketing "espiritual" (?!) dopante, muitas vezes se juntam a avidez, a desinformação, a credulidade e a imprudência do bem-intencionado aspirante à espiritualidade com a hipocrisia, a malandragem, a ambição neurótica e mesmo a maldade diabólica daqueles que Jesus, para proteger os ingênuos, etiquetou como *falsos profetas*. Seu alerta, até hoje oportuníssimo, foi: *"Guardai-vos dos falsos profetas, que vêm a vós com pele de ovelha, mas intimamente são lobos vorazes"* (Mt 7:15).

Podemos ser ajudados por um guru externo, uma pessoa já verdadeiramente iluminada. Hoje, como sempre, uma raridade. Um preceptor deste nível só é encontrado pelo aspirante que já estiver *pronto*. Não antes. Até que o aspirante se *apronte*, mas também se acautele, evitando sair por aí caçando gurus. A ansiedade da busca facilita o charlatão com sua *pele de ovelha* formada de embustes, truques rituais, verbais e paranormais, amuletos, falsas promessas... Como se vê, a advertência do Cristo mostra o quanto nos ama.

O *guru* universal onipotente e onisciente, eternamente disponível, é também onipresente. Ele é o próprio Cristo, ou *Atma*, residente no coração de cada um. Para chegarmos a Ele foi-nos aconselhado *pedir*, *buscar* e *bater* em sua porta.

DeusDeusDeus

Todas as religiões indicam um mesmo objetivo supremo para a vida, embora carregue nomes diversos, tais como *re-ligação* (com Deus), *iluminação, redenção, libertação, Yoga*... Sua conquista, conforme todas as diferentes escrituras e mestres, recomenda a sublimação da sexualidade, não por ser o sexo um pecado, mas porque, de fato, nada ou quase nada resta para aquele que se rende incondicionalmente à volúpia, ao "império dos sentidos", oferecer a Deus. Que resta para depor no santo altar da oferenda de uma alma robotizada pela sexualidade exarcebada, distorcida e neurótica? O sexo pode e precisa ser santificado pela bênção de Deus. Sublimar não impõe repressão. Reclama, no entanto, compreensão que facilite a pessoa a docemente transmutar o grosseiro em sutil, a dependência em liberdade, a mera paixão carnal em amor e harmonia, resíduos de animalidade em centelhas de divindade, o simples prazer medíocre em felicidade genuína...

DeusDeusDeus

A tranquilidade dos iludidos é frágil, evanescente e falsa, mas infelizmente tem o tremendo poder de preterir a redenção para a qual Deus nos convida. Parece que é para nos proteger de tão grande perda que algumas vezes Ele nos distingue com sofrimentos.

Os obstinadamente iludidos só acordam quando vergastados pela dor mais densa. Náufragos e apavorados se debatem aflitos e, quanto mais tensamente o fazem, mais se afogam. Quanto mais se afogam, mais se atemorizam; quanto mais amedrontados, mais se aprisionam num círculo vicioso em direção à ruína. A agitação agônica estorva a *operação de resgate* que Deus nos oferece. Deve ser por isso que o socorro divino começa com um mantra eficientemente tranquilizante – *"Aquietai-vos, e sabei que* EU SOU DEUS!*"* (Sl 46:10).

Se algum dia o desespero quiser tomar conta de você, relaxe e confie. Ofereça ao Salvador sua quietude para poder escutá-Lo a dizer com doçura: EU SOU DEUS. Pode haver socorro melhor?!

DeusDeusDeus

Jesus confirmará eternamente que quem pedir receberá; quem se engajar na busca, por certo encontrará; quem persistentemente bater, terá a porta aberta. Compromisso austero, de validade absoluta e eterna. Para nos proteger contra a tão normal imprudência de pedir o que é bom apenas em aparência, de optar por objetivos, rumos e projetos frustradores, de calejar os dedos batendo em portas que, para nossa segurança e felicidade, conviriam continuar fechadas, o mesmo Jesus avisou: *"Buscai primeiro o Reino de Deus e Sua justiça, e todas essas coisas* (ninharias normalmente pedidas e buscadas) *vos serão acrescentadas."* Pronto! Já sabemos que prioritariamente devemos pedir e buscar o Reino e nosso ajustamento a ele, que a porta certa na qual bater é também a do Reino. Quando já aninhados na infinitude e plenitude do Reino e por ele extaticamente possuídos, todas as coisas efêmeras pelas quais normalmente aspiramos nos serão acrescentadas. O que você quer mais?

DeusDeusDeus

Tornamo-nos delinquentes contra a lei da Natureza quando comemos e bebemos abusivamente o que nos é antinatural e impuro, quando destruímos com nicotina nossos indefesos pulmões. Cientificamente falando, fumar, bebericar, drogar-se, fatigar-se, curtir preguiça e outras transgressões *normais* são *pecados* cometidos diretamente contra o corpo.

Também pecamos contra a mente quando a intoxicamos com pensamentos malévolos, pessimistas, implosivos, deprimentes, sujos, perversos e pervertidos; quando nutrimos e maximizamos desejos, aversões egomotivadas, inevitavelmente, no devido tempo, viremos a padecer avarias e panes diversas, quando não insanidade mental, que não são castigos de Deus, mas apenas consequências naturais de nossos abusos normais, erros e infrações contra a sabedoria da Natureza.

Em geral, supomos equivocadamente que as doenças nos apanham. Qual nada! Nós as engendramos.

DeusDeusDeus

Tentar satisfazer imprudentemente a insatisfação é como procurar enxugar gelo. Quando insatisfeitos, achamos que, conquistando o objeto desejado, ficaremos em paz. Puro engano. A alegria de uma aquisição dura bem pouco, pois um desejo novo logo germina. Não é assim? Onde e quando isso vai parar? Se não cultivarmos a virtude do contentamento, que nos leva ao "sentimento de bastante", a paz continuará ausente.

Afie seu discernimento e verá que tudo que andou adquirindo e acumulando, por meio de longas, tensas e desgastantes batalhas, pode ser levado pelos ladrões, roído pelos ratos e corroído pela ferrugem. Realmente feliz e tranquilo é quem abrandou a sofreguidão por mais ganhar e juntar. Contente-se. Não confunda, porém, contentamento com desmotivação, preguiça, imobilismo e covardia. A diferença é enorme. Contentamento pacifica. Essas outras coisas debilitam. Delicie-se com o doce "sentimento de bastante". "Tire o pé do acelerador" e desfrute a lindeza da paisagem. E, por falar nisso, de forma alguma deseje possuí-la. A paisagem é do Artista que a fez. Contente-se em apenas curtir.

DeusDeusDeus

Geralmente nos empenhamos tanto em escarafunchar a vida alheia que não sobra tempo para vantajosamente nos conhecermos. Bisbilhotar, criticar e condenar os outros causa-lhes prejuízo. Mas também nos prejudicamos, porque, morbidamente embevecidos com os erros dos demais, seguimos sem saber como *estamos* e o que *somos*.

Nossa autotransformação redentora depende de identificarmos nossas próprias limitações, dependências, debilidades, erros, distorções, defeitos e carências. Julgar e condenar o próximo, além de desamor, é sintoma de soberba e arrogância.

Como me libertar sem antes me reconhecer cativo? Como me corrigir enquanto vaidosamente me tenho por correto? Como alcançar a sabedoria se insisto em ignorar a minha própria ignorância? Conhecer como estou agora me ajuda a saber o que sou na eternidade.

"Aquele que dentre vós estiver puro atire a primeira pedra", disse o Mestre. E, na ocasião, ninguém atirou, porque, fazendo uma autocrítica, todos se deram conta do quanto eram impuros e delinquentes perante a Lei Eterna. O sábio desafio nunca perderá sua validade, mas o que mais se vê é os mais intimamente poluídos a julgar e condenar os outros.

DeusDeusDeus

Não podemos continuar investindo faculdades, talentos, valores, tempo, energias, finalmente, tudo que Deus nos confia, na busca do não essencial, do meramente acessório, preterindo assim a Perfeição (Jesus Cristo), a Iluminação (Buda), a Libertação (Sankara), a divinização (Sai Baba).

Ao que pratica *Hatha Yoga* visando à saúde física, eu indago: *Que pretendes fazer com a saúde?*

Ao que reza, pergunto: *Que andas rogando a Deus?*

Ao meditante: *Que andas pretendendo com a meditação?*

Questiono ao tantrista: *A que destinas a preciosa Energia?*

Quase sempre as respostas vêm do ego pessoal, cuja índole é prolongar seu reinado, firmar seu domínio, inviabilizando assim a gloriosa conquista do Reino.

Quando digo *nós*, refiro-me ao *Atma*, o Cristo Interior, o Ser Eterno que, em essência e realidade, todos somos. Refiro-me àquilo que o danado do ego insiste em abafar, subjugar, negar, preterir e esconder.

DeusDeusDeus

Você está certo. Sadios ou doentes, aclamados ou vaiados, ricos ou pobres, vencedores ou vencidos, jovens ou idosos, lucrando ou perdendo... somos amados por Deus.

Doença, perseguição, pobreza, derrota, velhice, despojamento etc. não indicam que Ele nos tenha abandonado ou nos esteja punindo. Segundo São Paulo, *tudo concorre para o bem daqueles que amam a Deus*.

É exatamente por muito amá-Lo, que você está se sentindo feliz, embora padecendo uma condição que quase todos considerariam dramática, desesperada, insuportável.

DeusDeusDeus

Desejamos aquilo que gratifica nosso ego, ainda fora de nosso alcance. *Apegamo-nos* àquilo que já temos e a ele agrada. *Detestamos* tudo que o desconforta. *Tememos* o que quer que ameace a segurança e o deleite de nosso ego. Ora, vivemos num mundo que não está aí para satisfazer nossos desejos, e, ainda mais, num piscar de olhos, nos despoja daquilo ou daquele a que nos apegamos, que inesperadamente nos impõe conviver íntima e inevitavelmente com o detestável que tentamos evitar, que, de repente, lança contra nós tudo que tememos.

Quanto maior nosso ego, mais obsessivos os desejos, apego, aversões e fobias. Para o egoísta, como se vê, impossível é sentir-se contente, seguro, sereno e feliz.

DeusDeusDeus

Fogo vim lançar sobre a terra, e que [mais] quero se ele já foi aceso?

Sabe qual foi o "incendiário" que assim falou? Foi Aquele mesmo que morreu de amor por nós – Jesus Cristo. Ele, por certo, não se referia ao tão abusivamente citado e temido "fogo inextinguível do inferno". Seria uma contradição com Sua misericórdia ilimitada. Nem se reportava ao fogo que os bravos bombeiros apagam. Suponho uma alusão ao fogo cósmico a destruir formas desnaturadas, caducas e exauridas, para dar lugar a formas novas e mais evoluídas. Aludia ao fogo da sabedoria que, em nós, extingue a ignorância, o egoísmo, os desejos, as iras, o medo, a inveja, a hipocrisia, a ambição, as tendências animalescas e demoníacas, o ressentimento, enfim, tudo que, enfeando e tisnando a alma, não deixa acontecer a eclosão gloriosa do Fogo do Amor abrangente, sagrado e redentor.

João, aquele que batizava mergulhando no rio, anunciou que o Cristo viria depois, batizando não com água, igual a ele, mas com o Fogo Sagrado, que os cristãos adoram como o Espírito Santo, e os hindus como Agnivaishvanara, que significa Consciência Divina Universal, que abarca e nutre os mundos, os homens e os deuses.

DeusDeusDeus

Continue a indignar-se contra o aviltamento dos "direitos humanos". A violação de tais direitos, agravada pelo *normal* desprezo pelos próprios deveres pessoais, é uma das carrancas desta *era das trevas*.

Compadeça-se das vítimas, mas não trave batalha frontal contra os perversos. Trave-a, e pra valer, dentro de si mesmo, tentando corrigir seu lastro pessoal de treva e egoísmo. Segundo Sai Baba, a melhor forma de corrigir injustiças, venalidades, crueldades, hipocrisias, conflagrações, terrorismos e baixarias que intoxicam esta *era escura* é oferecer ao mundo nossa profunda mudança pessoal. Podemos ajudar muitíssimo se passarmos a amar mais profundamente e servir mais eficientemente ao mundo agônico e ameaçado.

De que o mundo mais precisa? De verdade para reduzir a hipocrisia dominante, de retidão para se contrapor à cruel corrupção que apodrece, de paz e benignidade que amenizem tanta violência, de pureza que despolua... Se cada um, de si, em si e por si, cultuar e cultivar veracidade, retidão, amor, equanimidade e não violência, sem dúvida ganharemos a mais lúcida e eficaz batalha em defesa dos "direitos humanos".

DeusDeusDeus

Raras pessoas reconhecem que o grande adversário à nobre caminhada é nosso incontentável ego espertalhão. Dos muitos truques com os quais nos detém, distrai e trai estão a *autopiedade*, a *autocomplacência* e a *autosseveridade*.

A autopiedade sabota nosso avanço e nos debilita por nos transformar em coitadinhos a mendigar: *tenham peninha de mim*.

A *autocomplacência* nos deforma e derruba por nos levar a pensar: *todos estão errados, exceto eu, que sou sempre correto, veraz e bom*.

Na *autosseveridade* nos julgamos com demasiado e distorcido rigor, e tensamente assumimos o oneroso compromisso: *tenho de ser irrepreensível, o mais perfeito*.

Se desejamos mesmo evoluir espiritualmente, vigiemos para não cair nas malhas desses truques espertíssimos de nosso inimigo mais íntimo – o Fulano de Tal que, iludidamente, pensamos ser.

DeusDeusDeus

Você não é esse "ego" que tem acreditado ser. Nem seu corpo, seus pensamentos, suas emoções... Você, seu verdadeiro e imortal você, transcende tudo isso.

Aguce o discernimento e com ele procure ver o cotidiano, tido erroneamente como realidade, como o que verdadeiramente é – um drama de ficção, cujo personagem central tem sido seu falso "ego". Você – Espírito – é o sábio espectador que apenas assiste, sem se iludir, sem se imiscuir e comprometer emocionalmente.

Tal apercebimento redentor sem dúvida é dificílimo, mas não há nada melhor a fazer. E comece logo. Não importa quanto tempo, empenho e persistência você precise investir até vencer a ilusão para uma libertação definitiva.

DeusDeusDeus

Mágoas, ressentimentos, malquerenças, planos de vingança etc. desencadeiam mil doenças no corpo e na mente. Tóxicos violentos antecipam envelhecimento rápido e enfermiço. Os sofrimentos produzidos por uma intoxicação gastrintestinal cessam quando o doente consegue expurgar a carga tóxica que envenenava o organismo. Quanto à intoxicação da mente, há algo semelhante a fazer? Os mestres receitam o perdão como um dos mais eficientes desintoxicantes psíquicos. A cura pelo perdão costuma ser instantânea e radical, parecendo milagrosa. Dores, disfunções, debilidades, mal-estares, fadigas, irritação etc. simplesmente somem. Até infecções chegam a ceder. E não se trata de enganadora remissão dos sintomas. É cura mesmo. Cura pela remoção da causa.

O mau cheiro de uma casa suja acaba tão logo se ponha fora o lixo. Baseando-me no que observei ao longo dos anos de trabalho com muita gente, posso asseverar que ressentimento, mágoa, ódio, plano de desforra... tudo isso é lixo.

Coração que virou monturo só pode estar muito enfermo.

DeusDeusDeus

S*at* é uma das muitas denominações do Ser Supremo; *sang* significa grupo, turma, associação de indivíduos. *Satsang*, essa divina fonte de Vida, consiste em conviver com pessoas devotadas a Deus, daí a importância de frequentar uma comunidade religiosa genuína. Jesus receitou *satsang* ao esclarecer: *Quando dois ou mais se reunirem em meu nome, eu estarei entre eles.* Buda aconselhou seus discípulos a buscar refúgio em Buda, na conduta reta e no *sanga*, isto é, na comunidade de discípulos.

A companhia de um pessimista deprime; a de uma pessoa irada atiça violência; a companhia de um libertino acende as labaredas da sensualidade. Por outro lado, a de um amigo positivo, sereno, bondoso, limpo, eficiente, de bons sentimentos e elevadas aspirações só nos beneficia. *Diz-me com quem andas e eu te direi quem és* – sentença, com razão, o adágio popular.

DeusDeusDeus

Quem criteriosamente observar o mundo não terá dificuldade de constatar que dinheiro, cargos, amigos, parentes, status, obras de arte, eleitorado, diplomas, aplausos, prêmios, comendas etc. – que os ingênuos supervalorizam e a eles se apegam, supondo seus –, não escapam à ação demolidora do tempo. Tudo que muda se extingue; portanto, em realidade, nada vale. Tal constatação facilita abrir mão espontânea e sabiamente do sentimento de posse. Desde que nada daquelas quinquilharias tem perenidades, o homem inteligente elimina desejos, apegos e aversões, e com isto se liberta da aflição e do medo.

Como se vê, chega-se à felicidade pelo simples desapego da pesada e volumosa carga penosamente entulhada na alma.

DeusDeusDeus

Todo ser humano está sujeito a enfrentar problemas insolúveis, barreiras intransponíveis, crises irremediáveis, doenças incuráveis, aflições incontroláveis, situações espinhosas, daquelas cuja gravidade evidencia dramática e incontestavelmente a impotência de nossas armas, a fragilidade de nossos recursos, a falência de nossos talentos limitados. Que fazer quando isso acontecer?

A resposta, segundo os mestres hindus, está sintetizada numa palavra – *ishvarapranidhana*. Este é o nome do mais prodigioso dos remédios, que, eternamente válido, serve a todos e serve para tudo. Significa a entrega irrestrita e incondicional de nós mesmos, de nossos desafios, de nossos seres amados e de nossos adversários à onipotência, onisciência e onipresença divina. O insolúvel terá solução. O intransponível será superado. O irremediável e incurável serão sanados. O incontrolável passa a ser administrado. A impotência ganhará força e eficácia. O paralítico andará. O cego verá. O surdo escutará. O abatido se erguerá. Só temos de *nos render* a Deus, com ilimitada confiança, totalmente disponíveis, sem reivindicar nem regatear, mas antecipadamente aceitando e agradecendo a tudo que nos chegar à guisa de resposta. Seja o que for.

DeusDeusDeus

A boa oração não deve ter a pretensão de convencer Deus a dar isso e aquilo de que precisamos e que Ele, até agora, parece estar negando. Deus já é doação permanente e ilimitada. A oração deve pretender mudar não a Deus, que é Imutável, mas a nós que oramos, tanto que, mudados, consigamos captar Sua ininterrupta, onipresente e abundante Graça. A oração perfeita tem o poder de nos modificar espiritual, psicológica, moral, energética e fisicamente. Uma boa forma de orar é louvar a Deus por todas as múltiplas manifestações de Sua ilimitada misericórdia. A oração pode ser um pedido de perdão para nossos deslizes e quedas. Pode ser para nos oferecermos prontos para o serviço. Precisamos começar a orar não somente para pedir, mas para agradar e agradecer a Deus. Mas, se você precisar pedir, faça-o. Mas com sabedoria. Não peça ninharias e rebotalhos, nem se humilhe. Nenhum pai gosta de ver o filho fazer tais bobagens.

DeusDeusDeus

*H*umilhação nos avilta, nos derruba... o que é totalmente inadequado a um filho do mais amoroso e potentado de todos os pais. *Humilhação*, jamais. *Humildação*, sim, e permanentemente. *Humildando*-nos, removemos a ignorância que nos torna *diferentes* e *distantes* dos outros, e o que é pior, *diferentes* e *distintos* do Ser Supremo que em realidade somos o ego pessoal, o Fulano de Tal que nos arvoramos ser e defender gera perturbação e sofrimento. Nossa verdadeira alma é como o sol esplendoroso. É o próprio Deus. O ego pessoal conduz-se como obstinada nuvem escura que O oculta. Quando conseguimos nos *humildar*, removemos tal nuvem, e só então o sol resplandece triunfante.

Expressando sua *humildação*, disse São Paulo: *"Já não existo. É o Cristo que existe em mim."* Negar a nós mesmos em proveito de Deus é *humildação*. *"Que seja feita Tua vontade, e não a minha"* – foi assim que Jesus expressou a dele.

DeusDeusDeus

Que me acusem de nadar contra a correnteza da *normose*, discrepando do que a maioria pensa, diz, deseja, cultua, segue e, irrefletidamente, pratica. Com isso não estou pretendendo combater algo ou alguém. Que ninguém se ressinta. Apenas me acautelo contra as sedutoras trampolinagens de meu próprio ego, que, como todos os egos, também é medíocre. Escolhi o "caminho estreito", o único que pode me libertar. Quando liberto de meu ego pessoal, chegarei às portas de acesso ao Essencial. Graças a Deus, já me decidi pelo Essencial, em detrimento do que apenas parece ser. E estou me sentindo satisfeito. Que Deus nos resgate das tumultuosas águas engrossadas da enxurrada a arrastar as massas hipnotizadas. Por outro lado, não nos deixe encarrapitar na soberba convicção de sermos melhores e maiores. Seria outra sutil trapaça do ego. Que o Senhor Supremo nos ajude a cada vez mais *humildar-nos* tanto que possamos chegar mais pertinho Dele, podendo melhor amá-Lo e servi-Lo.

DeusDeusDeus

As veneráveis escrituras que fundamentam as várias religiões, interpretadas segundo a "letra que mata" e não segundo o "espírito que vivifica", de veneráveis se tornam vulneráveis. Por um lado, à manipulação maldosa dos "falsos profetas"; por outro, à interpretação obscura ou distorcida de simplórios líderes: e ainda por outro, à pesquisa de teóricos empertigados. No caso destes, embora às vezes inteligentes, eruditos e até sinceramente empenhados, com suas especulações, não conseguem *des-cobrir* a Verdade sob os textos escriturísticos que, brilhantes, sintéticos, alegóricos e ricos de símbolos, escapam sempre à fria interpretação da lógica. Eles têm a lógica, mas não "olhos de ver e ouvidos de ouvir". Falta-lhes a "chave" do rico tesouro. Basicamente, tanto o ardil dos "mercadores do Templo" quanto a vantajosa suposição de que o dogma já é a própria Verdade bloqueiam ou frustram o buscador. Para eles, como que se defendendo, a Verdade se *re-vela*, isto é, lança mais um véu. É dito que Ela só se *des-vela* para os poucos que, sendo puros, acima de tudo a amam.

DeusDeusDeus

Os textos sagrados da Índia alertam-nos para que não nos deixemos apaixonar, a não ser pelo próprio Deus, pois é o único eterno, isto é, Aquele que não muda ao desfilar do tempo, sendo, portanto, eternamente o mesmo. É a única Realidade exatamente porque não muda. Tudo o mais sofre transformação, aprisionado no ininterrupto processo de nascer-viver-morrer, surgir-existir-sumir...

Só em relação a Deus podemos dizer que Ele eternamente É. De tudo o mais, de tudo que existe só podemos dizer que eventualmente *está*. Deus, portanto, é o Ser. Tudo o mais é existência fugidia. Sujeitos ao fluir do tempo, todas as existências cambiantes, portanto evanescentes, são simples aparências, ilusões, encantos, fantasmas, irrealidades, miragens... Têm maior ou menor duração, mas não perenidade, portanto não servem de fundamento a nossa segurança, a nossa paz e a nossa felicidade.

Só o Eterno merece ser buscado.

DeusDeusDeus

Os mestres e as escrituras de Yoga recomendam permanente vigilância, tanto que não nos deixemos enganar pelas aparências, sejam agradáveis e cobiçáveis, sejam desagradáveis e rechaçáveis. Insistem também que evitemos o estresse do medo a este mundo formado por coisas, pessoas, situações e acontecimentos cambiantes.

Previnamo-nos contra o medo de não obter o que desejamos, o medo de perder o que já temos, o medo de sermos alcançados pelo indesejável e inevitável, e o de não podermos fazer cessar algum tormento que eventualmente já nos machuca.

Não esqueçamos que tudo que podemos *desejar*, *odiar* e *temer* deste mundo é fugaz e impermanente. Não entender tão sábia advertência, ou entendê-la, mas, não obstante, desatendê-la, cria aflição, engendra doença e debilidade.

DeusDeusDeus

É dificílimo *des-convencer* uma pessoa que desde a infância acredita estar Deus entronizado num misterioso reino remoto e inacessível. Para ela Deus existe, mas num céu enigmático, tendo se revelado há milênios e ido embora depois.

Tomara que você comece a se ver como um vasto sistema, o qual, além do corpo feito de matéria, é constituído também por outras estruturas imateriais, sendo a mais sutil o próprio Eterno e Infinito Ser. Se gostar, pode chamá-lo de Deus. Vendo assim, Deus é nossa íntima e última Essência, nosso verdadeiro substrato e sustento, e, como disse São Paulo, *nele vivemos, nos movemos e temos nosso Ser*. Deus está tão longe de nós como o ouro está longe do anel, do colar e da pulseira feitos dele. O barro que assumiu a forma de um vaso, de um brinquedo, de um tijolo, fornecendo essência a tais objetos (diferentes somente nas *formas* e nos *nomes*), não pode estar *distante* e ser *diferente*.

Deus está em cada um de nós.

Deusdeusdeus

Rejeitamos e tememos a solidão porque ainda não alcançamos aproveitar as grandes lições que ela ensina. Ainda não conseguimos usá-la como refúgio contra o tenso e intenso convívio quase ininterrupto com os outros.

Precisar estar em contato com os demais é uma forma de dependência e um sintoma de vácuo na alma. Que nos defendamos dessa forma de pobreza de só nos sentirmos seguros quando em relacionamento com o mundo externo e carente de realidade.

Não vá ao encontro dos outros somente porque tem medo de se sentir sozinho. Busque o próximo, doando-lhe amor e com a divina intenção de servi-lo. Não dependa do próximo. Ajude-o sem, no entanto, a ele se apegar. Chegará um dia em que, mais amadurecido, você se sentirá feliz tanto no relacionamento ativo, generoso e fecundo como quando solitário em meditação, engolfado pela Paz de Deus.

DeusDeusDeus

"*Bem-aventurados os pobres do Espírito porque deles é o Reino dos Céus*" (Mt 5:3).

Com estas palavras, que ressoam como verdade eterna, Jesus, no ponto mais elevado da Consciência (no cume do monte), ensinou que, paradoxalmente, felizes não são aqueles que, como crianças distraídas, têm mais amizade a seus brinquedos que a tudo o mais, e, assim, longe estão de sentir *necessidade de Deus*.

Felizes, em verdade, são todos que sentem o impulso interior de clamar, *mendigar* Deus a Deus. Efetivamente, bem-aventurados são os raros, que tendo superado a mendicância, pelas "riquezas de faz de conta", agora só pedem o Espírito. Em realidade, felizes são os que, *des-iludidos* com todas as formas de fascínio que algemam a alma ao mundo instável e embusteiro, *mendigam* somente o Reino.

DeusDeusDeus

Um homem que atirou num alvo diferente daquele que antes escolhera por certo perdeu o disparo. Atirou em vão. Concorda? Vejamos um caso prático. Uma pessoa decidida a ir para Buenos Aires desperdiçará tempo e esforço, dinheiro e energia e sofrerá transtornos se, errando o alvo, embarcar num voo com destino a Dublin. Todos os inconvenientes, vicissitudes, fadigas, dispêndios e desconfortos que lhe sobrevenham decorrerão exclusivamente do *pecado*, o *pecado* de errar o alvo.

De repente, lhe pergunto: qual é o alvo de sua existência?

DeusDeusDeus

Numa orquestra sinfônica, cada família de instrumentos, conforme sua natureza, deve cumprir uma partitura específica (seu *dharma*, dizem os hindus) que lhe é designada pelo compositor, de tal forma que as flautas toquem *flautamente*; os taróis, *tarolmente*; os violinos, *violinamente* etc. O instrumento que, se rebelando, negligenciar a pauta ou indisciplinadamente insistir em tocar a de um outro, arruinará ele mesmo a orquestra e a música. Prejuízo geral. Em vez de sinfonia, cacofonia. Em vez de beleza, feiura.

Nosso organismo é uma orquestra. Os diferentes órgãos, instrumentos. As diferentes funções destes (digestão, respiração, circulação etc.), suas respectivas pautas. Cada órgão ou sistema de nosso corpo tem, portanto, seu dharma específico, e tem de cumpri-lo a rigor.

No organismo, saúde é sinfonia; doença, cacofonia.

DeusDeusDeus

Uma das maiores fontes de sofrimento em qualquer pessoa é o apego *àquilo* e *àqueles* que, por ignorância, pretende possuir exclusiva e eternamente. A uma pessoa idosa inteligente é mais fácil apagar tal ilusão, porque já pressente próxima a hora de descartar o corpo; quando, em frações de segundo, será definitivamente despojada de tudo que, ao longo de algumas décadas, supusera pertencer-lhe. Por isso, em qualquer idade, é inteligente cultivar abnegação, desapego e renúncia em relação a tudo e a todos. O que supomos possuir, na hora da partida nos é total e imediatamente arrebatado. Deixamos tudo e todos. Amigos e parentes ainda nos acompanham até o cemitério, depois só levamos os créditos de uma vida reta ou as dívidas de uma vida mesquinha e dúvidas de uma vida cega. Por isso os Mestres Espirituais ensinam e exemplificam a valentia do desapego.

DeusDeusDeus

É *normal* em horas críticas, suspirando, dizermos: *seja o que Deus quiser*. Mas, no fundo, estamos querendo somente uma única solução, aquela que, segundo nosso ângulo de visão, mais nos convém. Também *normal* é primeiro formularmos nosso projeto pessoal (nomeação para um cargo, ganhar a eleição ou a concorrência, a assinatura de um contrato, o resultado negativo de uma biópsia, a vitória de nossa facção, uma cura milagrosa...), para a seguir sublinharmos com um *se Deus quiser*. Na verdade, estamos dizendo: *Ele tem de querer*.

Isso não é totalmente reprovável. Mas a entrega a Deus é incompatível com atitudes assim. Portanto, como se vê, submeter-se irrestritamente não é nada fácil.

Mas é solução ideal para tudo, tudo mesmo.

DeusDeusDeus

Arrepender-se é sábio. Autopunir-se, não. Algumas pessoas atazanadas pelo remorso são levadas a falar mais ou menos assim: *pelo que já andei errando, estou perdido; nem Deus me ajuda.*

Quem assim faz ignora a ilimitada misericórdia divina e principalmente a ternura que o Senhor tem pelos arrependidos de seus erros. Cada pecador é visto por Ele como uma ovelha tresmalhada, no resgate da qual amorosamente Se empenha. As mais belas festas no céu, dizem, são as recepções aos que andavam perdidos e, porque se arrependeram, foram achados, que estando mortos, voltaram a viver. Cristo declarou que veio para os doentes e não para os sãos, pois os doentes, e não os sadios, precisam de médico. O resgate de um pecador acende muitas luzes no firmamento.

Arrependimento sincero, sim. Remorso e autodepreciação, jamais.

DeusDeusDeus

Embora tão dolorida, essa provação, se bem administrada, favorecerá sua verdadeira e definitiva *Páscoa*, ou seja, a *travessia* do irreal para o Real, das trevas para a Luz e da sujeição à morte para a Imortalidade. Convém, portanto, que continue se *entregando confiante* em Deus, *recebendo* o que lhe for designado e, ainda mais, *agradecendo* incondicionalmente. Sei que vem fazendo isso ao longo dos anos. Pois não mude. Com emoção, li em sua carta: *Eu continuo lutando. Muitos problemas, muitos sofrimentos, mas sempre com força para caminhar.*

Certa vez Cristo propôs três condições aos que postulavam se tornar discípulos: renunciem ao ego pessoal, agarrem firme e bravamente sua própria cruz e sigam-me. Pelo visto você já desfruta do status de discípulo. Parabéns.

DeusDeusDeus

O *Amor que redime*, é claro, não pode ser confundido com um relacionamento vulgar e interesseiro ou superficialmente afetivo entre dois egos, ou com a *normótica* satisfação sexual, finalmente com tudo que impropriamente se tem rotulado como amor. A *redenção* não se coaduna com sentimento de posse e o uso da outra pessoa como objeto de prazer. O *Amor* sadio e genuíno não manipula, não machuca, não trai, não encarcera, não violenta, não explora, não rebaixa... Ao contrário, exalta, protege, sublima, engrandece, dignifica, ilumina e liberta. Não é exclusivista, mas universal. Não suspeita. Confia. Não cria mendicância nem dependência afetiva. Consolida-se pela abnegação. Diviniza-se pela compaixão. Santifica-se pelo sacrifício. Não cobra reciprocidade. Não gera sofrimento, mas júbilo verdadeiro. A felicidade de quem ama consiste em dar-se, doar e perdoar. O *Amor redentor* é puro, santificante e irrestrito. Este é o Amor plenamente vivido e exemplificado por todas as encarnações divinas.

Amai-vos uns aos outros como eu vos amei, sentenciou Jesus em sua despedida aos discípulos.

DeusDeusDeus

Se você até agora nada fez em si mesmo, de si mesmo, para si mesmo, a fim de captar o jorro incessante da Graça de Deus, não tem o direito de desacreditar da misericórdia divina. Sai Baba lembrou que um sujeito que continue a curtir o frio do inverno, dentro da mata, em noite escura, somente porque se nega a caminhar para junto da fogueira ardendo ali bem perto, perdeu o direito de negar que o fogo exista, ilumine e aqueça. Você tem de abrir as velas de seu barco para aproveitar a brisa que sopra, senão seu barco fica parado. Você tem de virar o pote para recolher a água da chuva e, portanto, mitigar sua sede. Você tem de sair deste frio e escuro matagal para curtir o calor e a luz da fogueira que são oferecidos gratuitamente.

DeusDeusDeus

O que tenho a propor quanto à escolha da profissão só pode ser em termos de generalidade. Se eu tivesse como saber o que melhor lhe convém, por certo lhe indicaria algo preciso e específico. A profissão tem de assegurar meios de sobrevivência digna para nós e nossa família, mas também deve estar de acordo com nossos talentos, competência e inclinações pessoais. Mas isso não basta. Nunca deve estar na "contramão" da ética e de nosso caminhar espiritual rumo à conquista máxima para a qual nascemos e hoje ocupamos um lugar no espaço e no tempo de Deus – à conquista do Reino Divino, aninhado no coração da gente.

Trabalhar ganhando fortunas e subindo socialmente ao altíssimo custo de agredir a própria consciência condena a um inferno cósmico. Coitados dos iludidos que, mediante trapaças e crueldades, andam por aí acumulando podres poderes, desfrutando sórdidos prazeres, disputando destaque no palco do mundo.

Por mais humilde que sua ocupação profissional seja, você se sentirá muito feliz ao tornar *aquilo que faz e como o faz* uma bênção para o próximo e oferenda a Deus.

DeusDeusDeus

O *orai e vigiai* recomendado pelo Cristo nos torna um equilibrista caminhando, como sugere uma escritura hindu, no fio de uma navalha. *Vigiar*, sempre, para pressentir ou prever qualquer vacilação ou fraqueza e, sem demora, pedir socorro, reforço, energia a Quem tem de sobra para nos dar – DEUS. Todas as encarnações divinas, de alguma forma, implícita ou explicitamente, asseguram que DEUS só aguarda nosso profundo e sincero arrependimento para zerar nosso débito, para nos perdoar. Cristo declarou que veio como Pastor, sempre disposto a deixar as 99 ovelhas no abrigo e sair à procura da única extraviada, e feito Médico determinado a curar os enfermos e não os sadios. Sendo assim, estando genuinamente arrependido do escorregão que tanto o faz sofrer, peça socorro a DEUS. Peça a cura ao Grande Médico e a ajuda do Bom Pastor. Você será salvo. Será achado. Digo-o baseado nos compromissos divinos enunciados.

~

Este livro foi composto na tipologia Minion Pro Regular, em corpo 10,5/13, e impresso em papel off-set 56g/m² no Sistema Cameron da Divisão Gráfica da Distribuidora Record.